Pour Pierrot,
Princesse,
et Vif-Argent...
Trois
chiens
heureux.

Les auteurs tiennent à exprimer leur gratitude et leur reconnaissance à Mark Handler ; à Beverly Margolis et Vick Siegal dont la patience et l'aide sont dignes d'admiration ; à Marc Sargent et à Bruce Renick dont la fidélité et le dévouement ont permis à ce livre d'exister. Ils remercient tout particulièrement Don Gold et Hy Shore qui ont fait bénéficier ce livre de leurs dons très particuliers.

Mordecai Siegal et Matthew Margolis

votre chien :

le dresser,
l'éduquer

marabout service / maison, jardin

Première édition en langue française.

marabout service

collection dirigée par Marc Baudoux.

Titre original : *Good Dog, Bad Dog.*
Paru en 1973 chez Holt, Rinehart & Winston,
New York-Chicago-San Francisco, et simultanément au Canada,
chez Holt, Rinehart & Winston of Canada, Ltd.
Traduit de l'anglais par Hélène Boccador.

Couverture : Nicolas Fabre (ph. G. Dewinne).
Dessins : Henri Lievens, d'après l'original.
Direction technique : André Comhaire.

Les collections marabout sont éditées et imprimées par **marabout** s.a., 65, rue de Limbourg, B-4800 Verviers (Belgique). — Le label marabout, les titres des collections et la présentation des volumes sont déposés conformément à la loi. Correspondant général à **Paris** : INTER-FORUM, 13, rue de la Glacière, 75 - 624 - Paris Cedex 13. — Distributeur exclusif pour le **Canada** et les **Etats-Unis** : A.D.P. inc., 955 rue Amherst, Montréal 132, P.Q. Canada. — Distributeur en **Suisse** : Diffusion SPES, 39, route d'Oron, 1000 Lausanne 21.

INTRODUCTION

> Si vous trouvez un chien affamé et que vous le
> rendez heureux, il ne vous mordra pas, lui.
> C'est la grande différence entre un chien et un
> homme.
>
> Mark Twain

Maintenant que vous avez pris la décision d'avoir un chien, il est
bon de chercher à savoir comment prendre bien soin de lui. Après
tout, ces petites boules de poil sont des créatures innocentes qui
dépendent entièrement de leur maître pour ce qui est de la
nourriture, du logement, des soins médicaux, de la tendresse.
Toute leur survie dépend des grands, des hommes. Et dans le
monde des hommes, la survie d'un chien tient souvent à sa
capacité de réagir à un ordre simple comme : « Ne bouge pas ! »
« Viens, Silver ! » « Non ! » « Couché ! » « Assis ! » Ce ne sont
pas des cris arbitraires, sortis d'un manuel de la Gestapo. Ce sont
des ordres scientifiques donnés à un animal dressé dont la bonne
façon de réagir peut lui sauver la vie au milieu de la circulation
d'une ville ou des dangers de la campagne. Ces ordres permet-
tront aussi des rapports satisfaisants entre le chien et son maître.
Si un chien n'est pas habitué à se soulager à l'endroit et au
moment prévus, s'il n'est pas capable de garder le silence, de se
retenir de détruire mobilier et autres objets, d'obéir quand il le
faut, sa survie est menacée. Beaucoup de gens renoncent à leur
chien après quelques mois d'amers échecs ; alors la vie de
l'animal court de graves risques. C'est pourquoi, dresser les
chiens à obéir est utile et même indispensable.

Devant le grand nombre de livres qui traitent du dressage des
chiens, on pourrait se demander ce que le présent ouvrage offre
de plus. D'abord, il se propose le dressage du maître en vue du
dressage du chien. Ce livre insiste également sur l'éducation du
maître et celle de l'animal.

En qualité de dresseur-propriétaire à l'Institut national du
dressage des chiens, le coauteur Matthew Margolis a procédé au

dressage à domicile d'environ cinq mille chiens *et de leur maître*. C'est l'un des précurseurs de la technique qui consiste à dresser maître et chien à domicile. Nous offrons ici le fruit de son expérience.

C'est le premier livre sur le dressage des chiens, qui essaie de révéler au lecteur les bases de la méthode préconisée et d'expliquer le fonctionnement de la technique utilisée. Ces pages offrent un cours fondamental de dressage à l'obéissance, cours qui a fait ses preuves avec des milliers de chiens de toutes races. Pour la première fois sont mises en lumière les particularités de comportement de races spécifiques et les conclusions qu'il convient d'en tirer pour le dressage. On a ici le premier guide pratique pour le dressage d'un chien *à domicile*. Il met l'accent sur l'affection, la bienveillance, l'autorité. Son postulat fondamental est que les chiens sont bons.

1re Partie

COURS FONDAMENTAL D'OBÉISSANCE

LA RÉUSSITE

A bon maître, bon chien

Il est extrêmement ennuyeux d'être chien. La plus grande partie de l'existence se passe soit à dormir, soit à attendre l'heure des repas. Il y a de fortes chances pour que le chien s'ennuie mortellement. C'est surtout vrai, si son maître ne sait pas communiquer avec lui, lui faire comprendre ce qu'il veut, ni passer le temps nécessaire à établir des relations. Tout se passe comme si les chiens étaient dans un pays étranger dont ils ne comprendraient pas la langue. Cela peut expliquer pourquoi ils recherchent la compagnie d'autres chiens. La plupart des gens qui possèdent des chiens sont bons et généreux. Ils doivent simplement se fixer des buts et des principes cohérents pour pouvoir jouir pendant de nombreuses années de la compagnie et de la protection de leurs chiens.

Le maître qui a réussi dans le dressage de son chien est celui qui a le sentiment d'être bienveillant tout en se faisant obéir. Comme maître du logis, il se doit, noblesse oblige, d'assurer logement, nourriture abondante, soins médicaux appropriés, possibilités de prendre de l'exercice, affection et dressage. En retour, le chien devrait manifester amour, joie, dévouement constant et obéissance *absolue*. Malgré leurs apparences un peu médiévales, telles sont approximativement les relations idéales entre maître et chien. Un dressage réussi contribue à amener ce résultat. Ce cours traite exclusivement de l'obéissance, parce que l'expérience a prouvé que toutes les relations entre maître et chien s'améliorent beaucoup après un cours efficace de dressage.

L'état d'esprit souhaitable

Pour réussir le dressage d'un chien, le maître doit garder l'objectivité impassible d'un professionnel. Il ne faut pas que les déceptions viennent affecter ses relations avec le chien. Le chien va faire de nombreuses fautes en progressant d'une leçon à l'autre, et la patience du maître sera plus d'une fois mise à l'épreuve. En aucune façon l'on ne doit punir un chien ou crier fort en s'adressant à lui. Si le maître rentre chez lui après une journée éprouvante, il faut qu'il remette la leçon à plus tard ou bien qu'il garde son sang-froid pour ne pas injurier le chien sous prétexte qu'il n'a pas eu la promotion espérée ou que sa femme a cabossé un garde-boue, ou que sa fille mineure vit trop près des garçons dans une école mixte. Il doit se montrer patient et bon, et comprendre les faiblesses de tous. Nombreux sont les maîtres qui ont donné à leur chien les coups de pied qu'ils auraient voulu donner à leur patron, leur femme ou leur belle-mère. Avant de vous mettre en colère contre votre chien, demandez-vous si pareille attitude se justifie vraiment. Ce cours destiné à dresser un chien à obéir exclut les injures. Oubliez le mot *punition*, remplacez-le par le mot *correction*.

Pourquoi dresser un chien ?

Pourquoi achète-t-on un chien ? On garde un chien pour de multiples raisons : on y trouve agrément, compagnie, sécurité, plus de facilité pour élever les enfants, mais surtout on veut jouir de l'animal. Aucun être vivant ne vous aimera aussi complètement qu'un chien. Le dressage fera disparaître les obstacles qui vous empêchent de profiter pleinement de l'animal, vous assurant ainsi de nombreuses années tranquilles à passer avec lui.

Sans dressage, l'espièglerie sympathique d'un tout jeune chien se transforme très vite en habitudes agaçantes chez l'animal adulte. Celles-ci posent parfois de graves problèmes et gâtent pour toujours le caractère du chien. Après dressage, au contraire, jamais votre chien ne vous attaquera, ne vous sautera dessus, ne vous fera perdre le contrôle de sa laisse en promenade ni ne détruira les meubles. De plus, une fois dressé à obéir, un chien ne vole pas les aliments sur la table, ne fait pas ses besoins dans la maison, ne vomit pas dans la voiture et ne cause aucun des mille désagréments qui peuvent affecter un maître. Si un chien commet une ou plusieurs des fautes qui viennent d'être énumérées, ce n'est pas que ce soit un mauvais chien, c'est simplement qu'il n'est pas dressé. Cette situation peut se corriger ; il appartient au propriétaire de l'animal d'agir.

Les chiens sont comme des bébés : de même qu'il n'y a pas de bébés qui soient mauvais, de même il n'existe pas de chiots mauvais. La formation des chiens dépend du milieu aussi bien que de caractères héréditaires. Si un chien est bien dressé, il se conduira en « gentleman » et ne donnera que peu de soucis sa vie durant. *Dresser un chien c'est lui apprendre à réagir quand son maître s'adresse à lui et à faire ce qu'on attend de lui au moment même où l'ordre est donné.* Tout chien peut être dressé et tout maître peut le dresser.

Ecartez les croyances obscurantistes

Il est important d'oublier les méthodes de dressage dont on a entendu parler et qui se sont transmises au cours des siècles comme les recettes de remèdes de bonne femme. C'est probablement Attila, roi des Huns, qui le premier s'est mis à battre son chien dans son camp, et à le terroriser par ses cris. Oubliez cela, oubliez tout ce qui implique brutalité et humiliation. Ne frappez pas votre chien avec un journal roulé, cela ne lui apprend rien si ce n'est à craindre pendant longtemps tout objet long et cylindrique (y compris vos mains) et à s'échapper quand il en voit. C'est une forme de punition qui n'a d'autre résultat que de vous défouler.

Battez-vous votre chien ? Bien sûr que non. Mais certains maîtres embarrassés, déçus, le font. Un animal craintif, tremblant, névrosé, en dit long sur son maître. Ce dernier proteste en disant : « ... mais j'aime beaucoup Clochette. Je lui ai donné un coup de pied parce qu'elle était méchante. » Ce cours de dressage à l'obéissance indique une meilleure méthode pour apprendre au chien à bien se conduire et il remplace les techniques démodées. Une fois pour toutes, prenez la résolution de ne pas battre, ni gifler, ni taper, ni cogner, ni donner de coups de pied, de poing, de dents, ni crever d'yeux, ni tirer ou tordre d'oreilles. Vous êtes prié de vous maîtriser et de ne vous servir de vos mains que pour accompagner les ordres oraux ou pour caresser l'animal. Ne vous servez jamais de vos mains pour des menaces ou des gestes violents, n'admonestez jamais votre chien l'index tendu. Tendre l'index vers lui en disant : « Sale bête ! » produit aussi un effet négatif. La douleur, la crainte et la terreur retardent ou empêchent la communication. Bannissez tout procédé cruel.

Imaginez que vous prenez un taxi dans un pays étranger. Le chauffeur vous demande : « Où allez-vous ? » dans sa langue maternelle. Vous le regardez en haussant les épaules, sans le comprendre. Alors il devient furieux et vous donne un coup de poing en pleine figure. Cela semblerait cruellement absurde pour ne pas dire plus. Des chiens sont tous les jours en butte à ce genre d'horreur. Si les coups étaient utiles, pourquoi aurait-on besoin d'en donner si souvent ? Vous pouvez dresser votre chien sans punition, nous garantissons le résultat. Vous avez ainsi l'occasion de cesser de vous sentir coupable, en épargnant à votre chien les punitions. Cela vous permettra de jouir de la compagnie de votre ami le chien.

Quand commencer le dressage ?

Le dressage peut commencer à l'âge de trois mois pour les chiots de toutes les races, qui, dans un premier temps, doivent apprendre à se soulager à l'extérieur ou à l'intérieur, à obéir aux ordres « Suis-moi » (et s'habituer à la laisse) et « Assis ». A l'âge de quatre mois et demi on peut lui apprendre tout le reste du cours.

Qui doit prendre part au dressage ?

L'idéal serait que chaque membre de la famille apprît ces techniques nouvelles pour éviter de troubler le chien. Il est évident qu'une seule personne doit commencer le dressage. Après que le chien a appris à obéir à chacun des ordres, l'instructeur apprend alors au reste de la famille ce qu'il faut faire et comment le faire. Si tout le monde prenait part au dressage en même temps, ce serait la confusion la plus totale, le chien n'en tirerait aucun profit et la séance finirait dans un désordre tel qu'il ne pourrait plus fixer son attention.

Il vaut mieux apprendre au chien à obéir à un ordre en l'absence de tout spectateur. Une à trois séances peuvent être nécessaires avant que l'animal réagisse spontanément à un ordre nouveau. Quand il y est parvenu, ne le confiez pas au reste de la famille, avant qu'il ait eu le temps de se reposer et d'assimiler ce qu'il a appris. Accordez-lui au moins cinq heures avant de faire intervenir les autres membres de la famille. Prenez-les alors un à un et apprenez-leur comment s'y prendre pour donner chaque ordre nouveau. Vous aurez à les corriger patiemment.

Le cours fondamental d'obéissance

Aucune séance de dressage ne durera plus d'un quart d'heure. Les chiens se fatiguent et se lassent très vite. Si vous faites travailler un chien pendant plus d'un quart d'heure, il trouvera une infinité d'occasions pour se laisser distraire. Soyez particulièrement patients et compréhensifs au cours des premières séances. Il ne pourra donner libre cours à toutes les impulsions qui lui sont naturelles, il entrera dans un monde tout nouveau de discipline et d'obéissance. Vous allez créer dans son cerveau des réflexes conditionnés qui le mettront dans l'impossibilité de négliger un ordre. Cela représente pour le chien un gros travail mental et, après ces premières leçons, il sera irritable et de mauvaise humeur. Tenez-en compte en le laissant dormir après ces séances, c'est probablement de sommeil qu'il aura besoin.

Vous aurez ces petites attentions pour l'animal dans la mesure où vous comprendrez ses problèmes du moment. Chaque chapitre contient une section intitulée « Les fondements de ce dressage. » Pour chaque ordre nouveau, cette section explique l'instinct naturel du chien, comment vous allez changer cet instinct ou agir sur lui. Le résultat souhaité est une plus grande compréhension du chien en relation avec l'ordre donné. Il est important d'essayer d'analyser votre chien. Celui-ci est un *apprenti* et, comme tout apprenti, il possède des qualités positives et des qualités négatives. Chaque chien a une personnalité propre. Comment *le vôtre* réagit-il dans certaines situations ?

La meilleure façon de dresser votre chien est d'utiliser ses bons côtés. S'il est très affectueux, il faudra en tenir compte pour obtenir qu'il réagisse bien. Il réagira selon la manière dont vous doserez votre affection pour lui. Avec d'autres chiens, trop d'affection ne produirait pas de bons résultats. Ils pourraient croire que, toutes les fois que vous les félicitez, il leur est permis, comme par le passé, de faire ce qu'ils veulent. En d'autres cas, un chien renfermé peut réagir mieux qu'un autre aux félicitations et à l'affection. Déterminez si votre chien est affectueux, entêté, rancunier, expansif, renfermé, s'il a peur du bruit, etc... Bien sûr on peut présumer qu'un chiot de trois mois est folâtre, expansif, plein de vie et prêt à manifester de l'affection en retour. De tels chiots sont souvent les meilleurs sujets pour le dressage.

Choisissez pour le dressage un endroit approprié. L'intérieur de la maison convient très bien, pourvu qu'il y ait beaucoup de place pour des déplacements et aussi peu de distractions que possible. A l'extérieur, un endroit tranquille, isolé, convient encore mieux. Il est inutile de dire à son chien « Assis » quand il y a huit autres chiens en chaleur autour de lui, le bruit d'un avion et une dizaine de garçons en train de jouer au ballon.

La communication est le facteur essentiel du dressage. Un chien ne parle ni ne comprend votre langue. Son intelligence est celle d'un petit enfant. C'est à vous d'évaluer son niveau de compréhension. Il réagira surtout au ton de la voix. Comme un acteur, vous devez jouer la fermeté, la douceur ou l'enjouement avec le ton et l'attitude. Si vous avez déjà communiqué avec un enfant qui ne parle pas encore, vous comprendrez facilement ce dont il s'agit ici. C'est presque la même chose. Une parole encourageante fait sourire un bébé, un « Non », dit d'une voix ferme, vous permet de récupérer les lunettes qu'il vient de vous arracher. Une fois que vous aurez établi des moyens de communication, vous serez à mi-chemin sur la voie du dressage.

L'ÉQUIPEMENT

Les objets fabriqués à l'intention des chiens sont assez nombreux pour emplir tout un supermarché — la vie d'un homme ne suffirait pas à les utiliser tous — et si vous les achetiez tous, vous pourriez vous constituer une panoplie du parfait inquisiteur. Les aiguillons, les chaînes et les divers appareils électriques conviendraient mieux à des interrogatoires du contre-espionnage ; très peu d'entre eux servent au dressage.

Il y a plusieurs années, une cliente de Park Avenue voulut faire faire suivre à sa chienne un cours de dressage. Son caniche au poil gris argent était attifé et pomponné à souhait. Quand on demanda à cette assez grande dame l'équipement pour le dressage, elle ouvrit la porte d'un placard, laissant voir ainsi plus d'une cinquantaine de colliers et de laisses ; il y en avait de toutes les couleurs, de toutes les formes, de tous les genres. Comme le dresseur ne pouvait cacher sa surprise, ce fut d'un air gêné que cette dame expliqua qu'elle achetait un nouveau collier et une nouvelle laisse à Pipa toutes les fois qu'elle-même s'offrait une nouvelle toilette. Elle et Pipa étrennaient ainsi leurs plus beaux atours en même temps. Cependant, elle ne possédait pas le petit nombre d'objets nécessaires pour mener à bien le dressage. A moins que vous n'ambitionniez de voir votre animal devenir « le chien le plus élégant de l'année », peu d'objets sont nécessaires au dressage.

Ce dont on n'a pas besoin

Collier garni de pointes. C'est un collier coulissant, muni à l'intérieur de dents recourbées qui labourent le cou de l'animal quand on tire sur le système coulissant. Ses dents, bien qu'émoussées font des douzaines de petites marques dans le cou et entravent les mouvements du chien quand on fait fonctionner le système. Cet objet peut certes être utile entre les mains d'un dresseur professionnel, mais le profane risque de ne pas s'en servir comme il convient et d'infliger au chien de graves blessures. Une seule traction sur un collier à pointes équivaut à quinze tractions sur un collier coulissant ordinaire. Cependant, les gens inexpérimentés ont tendance à exagérer la manœuvre, ce qui fait souffrir le chien et lui porte irrémédiablement tort.

Laisse métallique. Qu'elle soit longue ou courte, il est presque impossible de prévoir quand une laisse faite de maillons va se briser. Si elle venait à casser au milieu de la circulation urbaine, le chien risquerait de s'enfuir, et mieux vaut alors ne pas penser à ce qui pourrait arriver. Avec une laisse en cuir, on peut voir l'endroit où elle va s'user ou se découdre.

Laisses courtes et épaisses. Elles ne servent pas au dressage. Peut-être donnent-elles au propriétaire d'un doberman ou d'un berger un air très viril, mais elles sont inefficaces pour les techniques de dressage qui feront l'objet des chapitres suivants.

Colliers de cuir. Pour des raisons qui apparaîtront plus tard, ces colliers vont à l'encontre de la technique de dressage sauf en ce qui concerne les races de chiens à long poil : lévriers afghans, chiens de berger, etc. Pour ceux-ci le collier de cuir est préférable : le contact du métal a tendance à abîmer le pelage en causant des marques permanentes.

Ce dont on a besoin

Une laisse en cuir de 1,80 m. C'est celle qui, sauf indication contraire, est utilisée pour apprendre au chien à obéir aux ordres donnés. Elle sera assez longue pour vous permettre de gouverner le chien quand vous lui apprendrez l'ordre « Assis » ; elle vous permettra aussi de marcher derrière lui tout en continuant à diriger ses mouvements. De plus, une laisse en cuir ne vous fera pas mal aux mains ni ne blessera le poitrail du chien lors de la pratique de diverses techniques de dressage.

On trouve des laisses de différentes largeurs. Généralement on recommande la laisse de 1 ½ cm, pratique sans être fragile.

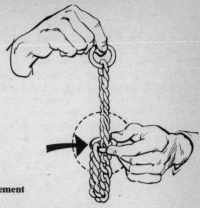

Fig. 1. Comment enfiler correctement le collier coulissant.

mais vous choisirez la largeur de la laisse en fonction de la taille du chien. Les bichons auront une laisse de 1 $^1/_4$ cm, parfois même plus étroite. Pour cet article, pensez à acheter du pratique et du solide. Une laisse de fantaisie, multicolore, en nylon, est peut-être belle à voir, mais elle risque de casser, et alors… plus de chien.

Une corde à linge de 8 m. On s'en sert si l'on veut apprendre au

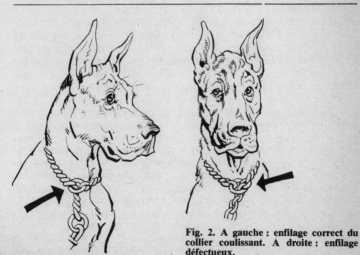

Fig. 2. A gauche : enfilage correct du collier coulissant. A droite : enfilage défectueux.

chien à obéir à l'ordre « Assis, reste là » quand il n'est pas tenu en laisse.

Une corde à linge de 15 m. On s'en sert si l'on veut apprendre au chien à obéir à l'ordre « Viens ici » quand il n'est pas tenu en laisse.

Un collier coulissant. Il est fait de petits maillons métalliques très serrés. Ce type de collier est le plus robuste et on peut relâcher son étreinte rapidement et sans heurt. Les colliers à gros maillons se bloquent parfois, car il arrive que les maillons entrent les uns dans les autres. Pour enfiler correctement le collier, reportez-vous à la Figure 1. Ce collier n'étrangle pas le chien, il le « corrige » en lui serrant le cou quand on tire sur la laisse. Si le collier est placé correctement (voir Figure 2), il se relâche très rapidement sans lui faire mal. N'utilisez pas un collier coulissant métallique pour les bichons et les petits chiots : ces chiens sont trop fragiles pour cela. Utilisez un collier de cuir ou bien glissez l'extrémité d'une laisse en nylon dans la boucle tenue à la main, faisant ainsi un nœud coulant autour du cou de l'animal.

Une « boîte à faire du bruit ». Prenez une boîte à jus de fruit vide ; par une des fentes, introduisez quinze pièces de monnaie, fermez les fentes à l'aide de ruban adhésif. En agitant cette boîte verticalement, vous surprenez le chien et attirez ainsi son attention. On utilise surtout ce procédé quand un chiot est sur le point de faire ce qui est défendu : souiller la maison, sauter sur les meubles ou les mordre, aller vers la poubelle, poursuivre un jeune enfant, etc... Agitez la boîte en disant « Non » d'une voix ferme. Le chiot finit par associer le bruit au mot « Non » et s'arrête de désobéir.

Voilà tout l'équipement nécessaire pour mener à bien le cours de dressage à l'obéissance. Cet équipement n'entraîne qu'une dépense insignifiante. Ces articles sont courants et vous les trouvez dans n'importe quel magasin spécialisé. Résistez à la tentation de remplacer ces objets par des articles inappropriés, de votre fabrication ou bien par des articles excessivement compliqués en vente dans le commerce. Une fois en possession de cet équipement simple, très peu coûteux et hautement fonctionnel, vous êtes prêt à commencer le dressage. Bonne chance !

DRESSER LE CHIEN À
SE SOULAGER À L'EXTÉRIEUR

Habituer un chien à se soulager à l'extérieur est très pénible pour le maître. La méthode indiquée ici permet de résoudre ce problème. Les difficultés ont des causes multiples, mais essentiellement il y a l'impossibilité de faire comprendre au chien ce que l'on attend de lui. La plupart de ceux qui viennent d'acheter un chien sont embarrassés par tout ce qui touche à cette question. S'il est trop embarrassant de traiter des fonctions naturelles de l'animal, comment alors, peut-on lui apprendre à maîtriser ces fonctions ? Nombreux sont les propriétaires de chiens qui se conduisent comme des enfants de six ans et emploient un langage puéril. Rien n'est plus ridicule que d'entendre un adulte dire de son dogue qui pèse plus de quatre-vingts kilos : « Horace fait pipi sur le lit. » Ou encore — on n'a jamais entendu euphémisme plus irritant — : « Pouf fait des crottes en chocolat dans la maison. » Il est souhaitable d'éviter de telles puérilités. Un chien expulse ses excréments, il urine, voyons la réalité franchement.

Définition

Il s'agit simplement d'apprendre à votre chien à se soulager à l'extérieur selon des modalités qui vous conviennent.

Les fondements de ce dressage

Sur ce point particulier, un chien est considéré comme dressé lorsqu'il donne entière satisfaction. Vous avez pu entendre mainte personne affirmer : « Mon chien est tout à fait dressé... si ce n'est qu'il souille le lit quand nous venons de changer les draps. » Ou bien un chien est dressé, ou bien il ne l'est pas. Quand ils disent que leur chien est dressé, certains veulent dire en fait qu'il se soulage sur du papier journal, ce qui est tout à fait différent. Quand un chien est dressé selon la technique exposée dans ce chapitre, jamais, *jamais* il ne se soulage dans la maison que ce soit sur du papier ou ailleurs.

Beaucoup de gens ne comprennent pas pourquoi leur chien ne sait que faire quand ils le font sortir. Le simple fait de le faire sortir ne lui fait pas comprendre la raison de cette sortie. Votre chien aimerait faire plaisir, mais il ne sait comment s'y prendre ; vous aimeriez lui apprendre à vous faire plaisir, mais vous ne savez comment communiquer. Voilà le grand problème ; ce chapitre le résout. Il n'y a rien de pire qu'un chien qui n'est pas habitué à se soulager à la convenance de son maître. Le dresser pour cela constitue la première et la plus importante étape de la domestication. Plus d'une fois, maître et chien ont dû se séparer, à ce point précis de leurs relations. En apprenant la méthode exposée ici vous n'aurez pas à vous débarrasser de votre chien.

Procédé et technique

Cette technique est la plus douce qui soit, elle ne risque pas de troubler l'animal. Chacune de ses quatre étapes a son importance et doit être observée strictement.

1. Régime alimentaire approprié et régulier.
2. Emploi d'un produit désodorisant.
3. Assigner au chien un espace limité.
4. Correction adéquate (et non pas punition).

Cette méthode est idéale pour les chiens âgés de trois mois à trois ans. Toutefois on a obtenu de bons résultats avec des chiens qui avaient jusqu'à six ans. Naturellement, vous n'obtiendrez pas les mêmes résultats d'un chien de six ans que d'un chiot, mais la méthode est efficace. Commencez ce dressage quand le chien a douze semaines environ. A ce moment-là, vous l'aurez amené chez le vétérinaire, il aura été vacciné et il ne risquera plus d'attraper des maladies comme la leptospirose ou l'hépatite des chiens. De deux à quatre semaines après avoir commencé, vous devriez constater les effets de cette méthode ; dès la première semaine, vous devriez remarquer un progrès. Si le chien ne réagit pas comme il faut, peut-être a-t-il un problème d'ordre médical, faites-le alors examiner par un vétérinaire. Si auparavant vous aviez habitué votre chien à se soulager sur des journaux, enlevez-les, et oubliez cette technique, sinon l'animal sera complètement troublé.

Régime alimentaire approprié et régulier

Donnez à manger et à boire et faites prendre de l'exercice à votre chien, tout cela rationnellement. Votre chien a besoin d'un régime alimentaire régulier, bien équilibré, comprenant la quantité adéquate de lipides, protides, hydrates de carbone, vitamines et sels minéraux. La nourriture idéale des chiens consiste en viande additionnée de céréales sous quelque forme que ce soit. Les conserves de viande mélangées aux céréales du commerce font l'affaire. Les aliments pour chiens, que l'on trouve dans les magasins, contiennent toutes les vitamines et tous les sels minéraux importants pour le bien-être de votre chien, on peut les recommander. Il est hasardeux de donner au chien les reliefs des repas de son maître. Si vous changez le régime de votre chien, ne le faites pas tout d'un coup. Graduellement, faites chevaucher les deux régimes pendant une période de trois jours pour que le changement ne soit pas brutal, sinon l'animal souffrirait de diarrhée ; les chiens ont un tube digestif très sensible aux changements de nourriture.

Donnez à manger et à boire et faites prendre de l'exercice à votre chien tous les jours à heures fixes pour obtenir des résultats favorables. C'est dans la régularité que réside le succès de cette méthode. Les règles suivantes sont à appliquer sans aucune exception :

1. Ne pas changer le régime alimentaire de votre chien.
2. Défense absolue de lui faire manger quoi que ce soit entre les repas.

Imposez à votre chien un emploi du temps rationnel. Voici l'emploi du temps idéal pour un chiot de trois à cinq mois (pour les animaux plus âgés conformez-vous à l'horaire des repas déjà établi) : à 7 heures 30 du matin, à 11 heures 30 du matin et à 4 heures 30 de l'après-midi, donnez-lui à manger, à boire et faites-lui faire une promenade ; à 8 heures 30 du soir, donnez-lui à boire seulement et faites-lui faire une promenade ; à 11 heures 30 du soir, une promenade seulement.

Au moment des repas laissez quinze minutes au chien pour manger, puis emmenez-le, quelle que soit la quantité de nourriture restant dans l'écuelle. Laissez-lui quelques minutes pour boire de l'eau. *Ne lui donnez pas à manger en dehors des heures fixées.* Cet emploi du temps restera en vigueur seulement pendant la durée du dressage exposée dans ce chapitre. Consultez un vétérinaire pour tout ce qui concerne le régime de votre chien.

Plus on restreint le temps pendant lequel il absorbe nourriture et eau, mieux on peut régler avec précision les fonctions naturelles du chien. Un plat contenant quatre ou cinq cubes de glace peut remplacer un bol d'eau, le chien étanchera sa soif tout en absorbant moins de liquide. Encore une fois, consultez un vétérinaire au sujet des besoins particuliers de votre chien.

Dès que le chien a mangé et bu, emmenez-le dehors, sans attendre, pour la promenade. Quand il se sera soulagé, félicitez-le et faites-le rentrer immédiatement. Très vite il comprendra la raison pour laquelle on le fait sortir.

La promenade ne doit pas excéder quinze ou vingt minutes. Si on lui fait faire une longue promenade avant qu'il ait fait ses besoins ou après, il ne comprend pas aussi clairement pourquoi on le fait sortir et la méthode n'a pas d'effet.

Emploi du temps pour les personnes travaillant de neuf heures du matin à cinq heures du soir. Faites sortir le chien dès votre réveil. Ramenez-le à la maison, donnez-lui à manger et à boire, et puis faites-lui faire, de nouveau, une promenade pour que l'habitude soit prise. Faites de même quand vous rentrez chez vous, après votre travail. Faites-le sortir, ramenez-le à la maison pour manger et boire et puis faites-lui faire immédiatement une autre promenade. Le chien s'en trouverait bien si vous pouviez avoir quelqu'un qui, au moment du repas de midi, lui fasse faire une promenade de plus et lui donne à boire et à manger. Avant de vous coucher, faites-le sortir une dernière fois sans lui donner à manger. Un jeune chien ne peut retenir ses urines pendant huit ou neuf heures, il est donc bon de le mettre dans un endroit de la maison où il puisse uriner sans rien abîmer.

Si le chien a, à l'extérieur, un endroit de prédilection, laissez-le-lui renifler. Beaucoup de chiens montrent une préférence pour un endroit particulier et, en cela, il ne faut pas les décourager.

Au commencement de ce dressage, ne soyez pas déçu si le chien ne se soulage pas, les deux ou trois premières fois. Il peut se retenir jusqu'à vingt-quatre heures. N'oubliez pas qu'on le force à rompre ses habitudes et à faire quelque chose de nouveau. S'il se montre récalcitrant trop longtemps, administrez-lui un suppositoire de glycérine pour bébés après qu'il a mangé et bu. Faites-le sortir, vous obtiendrez des résultats. Quand il s'est soulagé, félicitez-le pour qu'il sache qu'il vous a fait plaisir. Tout cela est provisoire et à continuer jusqu'à ce que l'habitude soit prise.

Emploi d'un produit désodorisant

Cette deuxième étape, qui est sans doute la plus importante, consiste à faire disparaître de la maison toute odeur laissée par les urines et les excréments du chien. On utilise un produit désodorisant en vente dans les magasins spécialisés et dans les pharmacies. Convenablement employé, il élimine ces odeurs que parfois le chien est seul à sentir ; les odeurs sont ainsi neutralisées et non pas masquées par une odeur plus forte. Mettre vingt gouttes du produit dans trois litres d'eau chaude et laver tous les endroits précédemment souillés par le chien, ainsi le chien se soulagera moins souvent dans la maison. Votre chien recherche un endroit déjà utilisé par lui-même ou par un autre chien ; on constate cela en observant le chien à l'extérieur, il renifle à la recherche d'un endroit particulier avant de l'utiliser.

Il faut remarquer qu'aucun des produits de nettoyage habituels ne neutralise ces odeurs. L'ammoniaque, l'eau de javel et les divers détergents n'ont pas d'effet parce qu'ils ne sont pas faits pour cela, de sorte que l'odeur demeure longtemps après que l'endroit souillé a été nettoyé. Un désodorisant liquide est toujours efficace. Si votre chien urine dans la maison, vous devez, pour le bon succès du dressage, utiliser le désodorisant tout de suite. Vous devez procéder ainsi toutes les fois que le chien a un accident pour l'empêcher de récidiver au même endroit.

Assigner au chien un espace limité

La troisième étape consiste à *surveiller* le chien et à lui *assigner un espace limité*. En de nombreuses circonstances, on est obligé de laisser le chien tout seul à la maison. C'est précisément à ces moments-là que souvent il décide de se soulager. Il essaiera rarement de le faire sous vos yeux si vous lui avez manifesté une fois votre désapprobation. Placer le chien dans un espace limité, cela ne veut pas dire l'attacher, mais simplement lui assigner un endroit restreint qu'il ne puisse quitter. Pour des raisons psychologiques, un chien ne fera jamais ses besoins dans un endroit où il est obligé de rester. Il a pour habitude d'aller se soulager aussi loin que possible et puis de revenir à ses quartiers. L'espace assigné doit être suffisant pour qu'il puisse aller et venir sans avoir le sentiment d'être puni, sinon il aboiera et essaiera de s'en aller.

Quand vous êtes chez vous, le chien doit pouvoir se déplacer librement, *pourvu que vous le surveilliez*. Si vous voyez qu'il est sur le point de se soulager, soyez prêt à le corriger. On le surveille et on le confine, car un chien ne souille pas ses propres quartiers s'il peut l'éviter. Cependant, si on ne le laissait jamais se déplacer dans la maison, cela ressemblerait trop à une punition, ce qui irait à l'encontre de l'esprit de cette méthode.

Correction adéquate

Cette dernière étape est la technique de la correction. Sous aucun prétexte, ne punissez un chien qui s'est soulagé dans la maison. Il ne peut légitimement pas être puni à cause de son ignorance : on ne peut que le corriger.

Ne corrigez jamais un chien à moins de le surprendre sur le fait. Au bout de quelques minutes, le cerveau du chien ne peut plus établir un rapport de cause à effet entre votre colère et ce qui l'a motivée. Son esprit s'embrouillerait et il serait malheureux et perplexe. C'est pourquoi les punitions n'ont que peu ou pas d'effet et n'entraînent que déceptions pour le chien et son maître. Prenez le chien sur le fait, sinon rien n'est possible.

Quand le chien souille la maison en votre présence, il n'y a qu'une seule façon de le corriger. Ne lui mettez pas le museau dans ses ordures, ne lui dites pas que c'est mal, ne le menacez pas en brandissant un journal ou un objet quelconque. *Attirez son attention* et *impressionnez-le* en disant « Non ». C'est alors qu'il faut utiliser la boîte (voir chapitre 2). Quand le chien est en train d'uriner, agiter vigoureusement la boîte en disant « Non » d'une voix forte. Quelle que soit son occupation du moment, il est probable qu'il s'interrompra. Emmenez-le dehors immédiatement pour qu'il finisse. *Voilà la seule façon de montrer au chien ce que vous attendez de lui*. Vous le prenez sur le fait, l'interrompez, l'emmenez dehors pour qu'il finisse et puis vous le félicitez chaleureusement.

Vous attirez son attention en agitant la boîte et non pas en brandissant un journal, ce geste serait aussi nocif que lui donner des coups. Le chien ne doit pas avoir peur de vous. Interrompez-le quand il est en train de désobéir et conduisez-le à l'endroit adéquat. C'est le « Non » dit d'une voix forte qui tient lieu de correction. Pour interrompre un chien de grande taille, il peut être nécessaire de jeter la boîte par terre (de préférence derrière vous). Pendant cette période, si c'est nécessaire, laissez-lui la laisse et le collier pour pouvoir le faire sortir rapidement sans attendre. Le but est de corriger, non de punir.

Beaucoup de gens croient à tort que les chiens souillent la maison par méchanceté ou pour se venger, généralement après qu'on les a laissés seuls. Cela est faux. C'est l'inquiétude, la crainte ou la peur qui les fait se conduire ainsi, ou simplement, c'est qu'on ne leur a pas inculqué de bonnes habitudes. Très souvent le maître qui rentre chez lui trouve le chien en proie à la peur, à la honte, au remords ; le maître sait alors que son chien a souillé la maison. C'est à cause de ce comportement de l'animal que le maître est convaincu que le chien souille la maison par méchanceté. Il n'en est pas ainsi. Le chien se fait tout petit quand vous rentrez parce qu'il associe votre arrivée à la punition. Il ne comprend pas ce qu'il a fait de mal. Laissé seul dans un endroit inconnu ou dans une situation qui lui cause de l'inquiétude, il expulse ses excréments sans pouvoir se retenir. Cela est indépendant de son aptitude à se comporter comme un chien bien élevé et domestiqué.

Beaucoup de méthodes de dressage sont négatives dans leurs conceptions. C'est pourquoi le chien ne comprend qu'à moitié : il sait qu'il a fait quelque chose de mal, mais il n'est que peu ou pas du tout instruit de ce qu'il devrait faire. Notre méthode met l'accent sur la prévention et sur l'éducation. C'est ce qu'a appris une cliente qui, à trois heures du matin, a réveillé le dresseur pour lui demander de venir chez elle. Une voix frénétique appela : « M. Margolis ?

— Oui, murmura ce dernier.

— Ici, Mme Baxter. Vous vous occupez du dressage de mon petit Filbert.

— Oui, répondit-il, mais il est trois heures du matin. Que désirez-vous ?

— Vous m'avez dit de vous appeler si Filbert avait un accident. Eh bien ! Il s'est oublié sur le tapis. Que dois-je faire ?

— Nettoyer le tapis », dit-il en raccrochant. Voilà pour l'éducation.

4

DRESSER LE CHIEN
À SE SOULAGER
SUR DES JOURNAUX

Les journaux informent leurs lecteurs, mais ils ont aussi une autre utilité — et ce n'est pas le moindre des services rendus au public : ils fournissent une réserve inépuisable de papier destiné au dressage exposé dans ce chapitre. Pour de nombreuses raisons, on peut préférer ce procédé à celui qui est traité dans le chapitre précédent. Il est évidemment commode de ne pas avoir à sortir dans la rue à toute heure du jour et de la nuit, surtout lorsque le temps est mauvais ou que l'on est pris par un horaire de travail contraignant. Mais le grand intérêt de ce procédé est de favoriser la propreté des rues et des trottoirs.

Dans les grandes agglomérations urbaines comme New York où vivent plus de six cent mille chiens, beaucoup de personnes qui n'en ont pas, font pression sur les autorités pour obtenir des règlements applicables aux chiens et à leurs maîtres. L'auteur n'est pas favorable à une législation autoritaire en ce domaine ; cependant, en dressant les chiens à se soulager sur des journaux, on apporte une excellente solution à cet irritant problème. Si ce procédé était adopté par un assez grand nombre de propriétaires de chiens, soucieux de l'agrément d'autrui, un des aspects de la pollution des villes américaines serait réglé. Pour ceux qui aiment leur chien mais sont aussi conscients d'écologie, la solution réside dans ce procédé.

Définition

Après ce dressage, le chien urinera et expulsera ses excréments sur du papier, dans votre appartement ou votre maison, en un endroit de votre choix.

Les fondements de ce dressage

Un chien aime uriner sur plusieurs couches de papier parce que l'urine disparaît par absorption. Il va sans dire qu'il faut changer les papiers après usage. Aucun animal n'aime rester près de ses excréments. Les chiens préfèrent se soulager dans un endroit qu'ils ont déjà utilisé à cet effet ; c'est pourquoi ce dressage réussit si bien. Cette préférence tient à un instinct qui pousse le chien à revendiquer certains endroits particuliers comme son fief. Grâce à son odorat très développé, un chien sent des odeurs dont nous ignorons absolument l'existence. Ainsi, après avoir souillé un certain endroit, il y est de nouveau attiré simplement par l'odeur. Seul un désodorisant très actif peut empêcher le chien de sentir l'odeur.

Ce dressage réussit très bien, surtout pour les chiots. Après avoir choisi ce procédé, vous ne devez pas en changer et adopter le procédé exposé au chapitre précédent. Trop souvent on enlève un chiot à sa mère avant l'âge de dix semaines et l'on ne peut pas le mener dans la rue. On se sert alors de journaux à l'intérieur, comme d'un procédé provisoire. C'est une erreur d'en changer par la suite. Le jeune chien ne pourrait qu'être troublé, il se mettrait à avoir accident sur accident en essayant d'interpréter vos désirs. Ces accidents se produisent souvent sur un tapis coûteux ou dans un coin de votre chambre pendant la nuit. Alors on punit le chien qui, à tort, va se sentir coupable, tandis que son maître déçu est en colère. C'est encore ainsi que commencent les affections nerveuses chez la plupart des chiens.

Il ne faut jamais prendre un chiot avant qu'il ait dix semaines, à moins d'être bien résolu à l'habituer à se soulager sur du papier. Dans le cas de chiens qui ont déjà été habitués à se soulager à l'extérieur, le changement serait difficile et exigerait beaucoup de patience.

Procédé et technique

Ce procédé comporte quatre étapes :
1. Régime alimentaire approprié et régulier.
2. Assigner au chien un espace limité.
3. Emploi d'un produit désodorisant.
4. Correction adéquate.

Ce procédé, surtout destiné à des chiots, peut cependant être utilisé pour des chiens plus âgés, il faut alors un peu plus de temps et de patience. D'abord, vous devez choisir un endroit de la maison qui convienne, où le chien trouvera en permanence des journaux. C'est là qu'il ira toujours se soulager, sachant bien que vous ne vous fâcherez pas pour cela. Cet endroit pourra être dans la salle de bains, la cuisine, le sous-sol ou tout autre lieu que le chien pourra utiliser sans trop vous gêner. Choisissez un endroit qui lui soit accessible ; plus l'accès en sera facile, mieux vous réussirez ce dressage.

Régime alimentaire approprié et régulier

Donnez à manger et à boire à votre chien, habituez-le à aller sur le papier, tout cela rationnellement. Il lui faut un régime alimentaire régulier, bien équilibré, comprenant la quantité adéquate de lipides, protides, hydrates de carbone, vitamines et sels minéraux. Comme nous l'avons vu au chapitre 3, la viande à laquelle on ajoute des céréales sous quelque forme que ce soit, constitue la nourriture idéale des chiens. Il n'est pas recommandé de changer brusquement de régime alimentaire : le chien, dont le tube digestif est très fragile, souffrirait de diarrhée. D'abord consultez un vétérinaire pour connaître les besoins alimentaires de votre chien puis associez le nouveau régime à l'ancien, non pas brusquement mais sur une période de trois jours.

Donnez à manger et à boire, faites prendre de l'exercice à votre chien, tous les jours à heures fixes, pour obtenir des résultats favorables. C'est de la régularité que dépend le succès de cette méthode. En fixant avec précision l'heure de ses repas, vous pourrez prévoir le moment où le chien se soulagera ; l'intervalle est généralement de six à huit heures.

Imposez à votre chien un emploi du temps rationnel. Le chien doit pouvoir aller sur le papier quatre fois par jour au moins. *D'abord* il faut lui donner à manger, *puis* à boire, et *enfin* le mener sur le papier.

Voici l'emploi du temps idéal pour un chiot de trois à cinq mois (pour les animaux plus âgés, conformez-vous à l'horaire des repas déjà établi).

A 7 heures 30 du matin, à 11 heures 30 du matin, et à 4 heures 30 de l'après-midi, donnez-lui à manger, à boire et faites-lui faire une promenade ; à 8 heures 30 du soir, donnez-lui à boire seulement et menez-le sur le papier ; à 11 heures 30 du soir contentez-vous de le mener sur le papier.

Au moment des repas, laissez-lui quinze minutes pour manger, puis emmenez-le, quelle que soit la quantité de nourriture restant dans l'écuelle. Ne lui donnez rien à manger en dehors des heures fixées. Qu'il ait toujours beaucoup d'eau à sa disposition ; un plat contenant des cubes de glace lui évitera de boire de grandes quantités d'eau, tout en lui permettant d'étancher sa soif. Plus on restreint le temps pendant lequel il absorbe eau et aliments, mieux on peut régler les fonctions naturelles du chien.

Dès qu'il a mangé et bu, on doit le laisser aller sur le papier. Félicitez-le chaque fois qu'il urine ou qu'il expulse ses excréments sur le papier, puis emmenez-le dans une autre pièce. Il comprendra vite à quoi sert le papier.

Emploi du temps pour les personnes travaillant de neuf heures du matin à cinq heures du soir. Menez le chien sur le papier dès votre réveil ; laissez-lui du temps, puis immédiatement après qu'il s'est soulagé, donnez-lui à manger, à boire, et menez-le de nouveau sur le papier pour que l'habitude soit prise. On l'enferme alors dans un endroit déterminé (nous donnerons plus de détails dans la suite de ce chapitre) dont le sol aura été recouvert de journaux. Vous pouvez alors sortir pour aller travailler. A votre retour, de nouveau, donnez-lui à manger, à boire, et menez-le sur le papier. Avant de vous coucher, mettez-le sur le papier une dernière fois, sans rien lui faire absorber. Un jeune chien ne pouvant retenir ses urines pendant huit ou neuf heures, il est bon de ne pas le laisser aller librement dans la maison, mais de lui assigner un espace limité.

Ne le laissez pas plus de dix minutes sur le papier, chaque fois. Après ce laps de temps, emmenez-le, même si vous n'avez pas obtenu de résultat. Parfois, en répandant quelques gouttes d'eau sur le papier, on l'encourage à faire ce que l'on attend de lui. On peut garder une feuille de papier précédemment souillée, et la mettre sous la couche de papier propre, l'odeur lui indiquera ce qu'il doit faire. Au commencement de ce dressage, ne soyez pas déçu si les deux ou trois premières fois, le chien ne se soulage pas. Il peut se retenir même pendant vingt-quatre heures, surtout s'il ne s'agit pas d'un tout jeune chien. Si votre patience s'épuise, administrez-lui un suppositoire de glycérine pour bébés, après lui avoir donné à manger et à boire. Les résultats ne se font pas attendre ; quand le chien s'est soulagé, félicitez-le avec enthousiasme pour qu'il sache qu'en utilisant le papier il vous fait plaisir ; c'est précisément ce qu'il veut.

Assigner au chien un espace limité

Dès que vous commencez ce dressage, choisissez un endroit adéquat, placez trois à cinq épaisseurs de papier-journal superposées par terre, sur toute la surface de la pièce sans exception. Le chien, se trouvant dans un endroit entièrement couvert de journaux, ne peut faire autrement que se soulager sur le papier. Dès que cela est fait, enlevez les journaux en conservant une des feuilles souillées que vous placez sous les journaux propres dont vous couvrez à nouveau la pièce. Continuez à procéder ainsi pendant les cinq premiers jours. Un très jeune chiot a besoin d'aller sur le papier neuf ou dix fois par jour ; il renifle, tourne en rond ou de quelque autre façon vous fait savoir qu'il veut se rendre sur le papier ; sachez le comprendre. Au fur et à mesure qu'il grandira, il y ira moins souvent. A partir du sixième jour, commencez à restreindre graduellement la surface que vous couvrez de journaux. Au bout de plusieurs jours ne couvrez plus que le minimum de surface nécessaire. Le chien aura alors probablement choisi un endroit de la pièce qu'il utilisera de préférence. Si, au cours des cinq premiers jours, vous remarquez qu'il a déjà un lieu de prédilection, commencez alors à restreindre la surface couverte de journaux. En tout cas, le huitième jour au plus tard, seul le minimum de surface nécessaire sera couvert de journaux.

Tout propriétaire de chien est parfois obligé de laisser seul à la maison l'animal qui n'est pas encore dressé. C'est un problème irritant surtout quand on en est à son premier chien. En rentrant chez soi, on constate qu'il a souillé la maison. Si on l'a précédemment grondé avec de grands éclats de voix, il attendra d'être seul pour recommencer et souiller la maison plus que jamais. C'est pourquoi il est important de lui assigner un espace limité. Cela ne veut pas dire qu'il faille l'attacher ; choisissez un espace restreint et adéquat que le chien ne puisse quitter. *La surface couverte de journaux doit se trouver dans cet endroit.* Il est extrêmement désagréable à un chien de se soulager là où il doit rester. Assigner au chien un espace limité facilite ainsi le dressage. L'espace assigné doit cependant lui permettre d'aller et venir, sinon il aurait l'impression d'être puni, ce qui le ferait aboyer et chercher à s'échapper. Ayant les journaux à sa portée, il s'en sert, puis va se mettre dans une autre partie de l'espace assigné ; cela aussi, facilite le dressage. Pour éviter que le chiot ne se sente trop à l'étroit, laissez-le circuler librement dans la maison quand vous êtes présent. Cela est souhaitable *pourvu que vous le surveilliez.* Soyez toujours prêt à le corriger s'il commence à se soulager ailleurs que sur les journaux. Si on ne le laisse jamais circuler dans la maison, il ressent cela comme une punition, et l'efficacité de cette méthode de dressage s'en trouve diminuée.

Emploi d'un produit désodorisant

Quand le chien commet une erreur et se soulage dans un endroit de la maison qui n'est pas couvert de journaux, il convient d'abord de le corriger (voir paragraphe suivant), puis de faire rapidement disparaître l'odeur. Cela est important. Même après lavage, l'animal perçoit encore l'odeur ; les produits de nettoyage habituels sont inutiles ici. L'ammoniaque, l'eau de javel et les divers détergents ne produisent aucun effet. Seul un puissant désodorisant sous forme liquide élimine vraiment l'odeur ; mettez-en vingt gouttes dans trois litres d'eau chaude et lavez tous les endroits souillés. Un chien ne peut se retenir dès qu'il sent l'odeur de son urine ou de ses excréments. Il la sent même quand nous ne sentons rien et il est immanquablement attiré. Les chiens délimitent le territoire dont ils entendent rester maîtres en urinant aux endroits stratégiques. Quand vous promenez votre chien, vous pouvez observer qu'il renifle pour retrouver son odeur ou celle d'un autre chien. C'est pourquoi vous devez faire disparaître l'odeur de tous les endroits de la maison où le chien s'est soulagé. En éliminant l'odeur, vous l'empêchez de souiller à nouveau le même endroit.

Correction adéquate

Sous aucun prétexte, ne punissez un chien parce qu'il s'est soulagé ailleurs que sur les journaux. On ne peut que le corriger. *A moins d'être présent et d'arrêter le chien qui commence à se soulager, il est inutile de le corriger.* Punitions et corrections n'ont aucun effet si elles surviennent quelques minutes après l'occasion qui les provoque. Les possibilités mentales du chien sont tout à fait limitées à cet égard.

Cela nous amène au sens du mot « correction », comme nous l'entendons dans ce cours de dressage. *Corriger* l'animal c'est lui faire comprendre qu'il vous a mécontenté. Pour le corriger dites « Non » d'une voix ferme. Il faut tendre à attirer l'attention du chien pour lui signifier votre mécontentement, ce que vous ne pouvez faire qu'en le prenant sur le fait. Si vous avez la voix trop douce ou si le chien n'est pas impressionné par votre « Non », vous pouvez vous servir de la boîte (voir chapitre 2). Quand le chien se soulage ailleurs que sur les journaux, faites du bruit avec la boîte que vous secouerez vigoureusement, en disant « Non » d'une voix ferme. Tout ce bruit arrêtera le chien, c'est alors précisément le moment de le mener à ses journaux. Félicitez-le de s'être arrêté sur votre ordre ; laissez-le finir sur le papier ; puis de nouveau, félicitez-le avec enthousiasme. *C'est la seule façon d'indiquer au chien ce qu'il doit faire.* C'est, à la lettre, une méthode éducative.

Le dressage ne doit rien comporter de négatif, sinon le chien n'en comprend qu'une moitié. Il comprendra qu'il vous a mécontenté, mais on doit lui faire comprendre ce qu'il doit faire pour que vous soyez content de lui. Faire saisir au chien ce que vous attendez de lui est le but de tout dressage. Ce chapitre indique comment empêcher un chien de souiller les tapis et les rues de la ville.

5

DU BON USAGE
DE « NON » ET DE « BIEN »

Le langage se compose de symboles vocaux dont on se sert pour communiquer un renseignement, une émotion, ou les deux à la fois. Mais dans le dressage d'un chien, on se sert des mots comme d'outils pour agir sur son comportement. Ainsi nous pesons soigneusement nos mots quand nous dressons un chien à se soumettre à notre volonté. Deux mots très précieux sont « Non » et « Bien ». On ne doit pas se servir de ces outils en vain et dire par exemple : « Non, Sidney, ne fouille pas dans la poubelle », ou encore : « Eh bien ! Sidney, qu'as-tu fait ? Tu vas recevoir une raclée. » Dans le dressage, on se sert des mots « Non » et « Bien » dans des buts très précis et ils sont très utiles. Il faut prononcer ces mots *uniquement* dans les cas prévus.

« Non », définition

On prononce le mot « Non » pour arrêter un chien qui est en train de faire ce qui est défendu. Ce mot est toujours prononcé seul.

Les fondements de ce dressage

C'est l'incohérence des ordres donnés par son maître qui cause généralement l'embarras du chien. Quand vous voulez l'empêcher de sauter sur les meubles, de voler des aliments sur la table, de souiller la maison etc, vous n'avez qu'à dire « Non », pour le

corriger. Trop souvent, pour corriger son chien, le maître emploie dix mots différents dans la même journée. Des expressions
comme : « Arrête-toi ! Ne fais pas cela ! Allons ! Tu vas voir !
Vaurien ! » ne font que rendre la colère communicative.

« Non » est le mot le plus chargé d'autorité et le plus intimi-
dant qui soit, la personne la plus timorée, peut, en disant
« Non », imposer sa volonté à l'animal. Si l'on se sert de ce mot
d'une façon cohérente, le chien l'associera toujours à quelque
chose de mauvais et s'arrêtera toujours tout de suite. Le but est
de créer chez l'animal, une réaction instantanée au mot « Non ».

Il est important de ne jamais associer ce mot au nom du
chien, car l'animal associerait son nom à quelque chose de
mauvais. Les conséquences sont sérieuses ; comme on fait précéder tout ordre impliquant un mouvement en avant du nom du
chien, par exemple : « Vif-Argent, suis-moi. » « Pierrot, viens
ici. », si l'animal associe son nom à quelque chose de mauvais, il
ne viendra jamais vers vous quand vous l'appellerez ni n'obéira
quand on prononcera son nom, il ne fera que s'esquiver, apeuré.
Avec un peu de pratique, vous constaterez que « Non » prononcé tout seul pour corriger le chien fait merveille.

Ne dites jamais le mot « Non », plus d'une fois à chaque
occasion. Corriger le chien avec précision plutôt qu'en manifestant vos émotions. La plupart des chiens réagissent mal à
l'hyperémotivité et l'adoptent dans leur comportement. En répétant : « Non, non, non » d'une voix aiguë, vous risquez de
rendre l'animal émotif et névrosé. Il faut le corriger d'une voix
ferme, autoritaire, venant du diaphragme. On respire profondément en gonflant d'air la cavité sous le diaphragme, puis on dit
« Non » en expulsant cet air. Avec un peu de pratique votre voix
se fera résonnante et plus profonde. Un seul « Non » sonore aura
l'effet voulu tout en ménageant les nerfs du chien. Votre ton, qui
exclut tout éclat de colère, doit montrer que vous ne tolérez
aucune désobéissance. En prononçant ce mot, le but est d'attirer
son attention et de le surprendre sans l'effrayer, sinon il serait
effondré et votre courroux le ferait immanquablement uriner.
« Non » attire simplement son attention et lui indique qu'il est en
train de faire quelque chose de mal.

Il ne faudrait pas non plus le corriger avec un excès de
douceur. Ne prenez pas le ton d'une grand-mère trop tendre qui
agace un enfant en disant par exemple : « Wolfgang, qu'as-tu
encore fait, Wolfgang ? » Ce petit malin de Wolfgang s'aperce-
vrait bien vite que vous avez un faible pour lui et qu'il peut
obtenir ce qu'il veut. Très souvent, le maître évite d'exercer son
autorité par crainte de décourager l'attention et l'affection que

lui porte l'animal. En fait, ce dernier aime savoir, une fois pour toutes, ce qu'il peut faire et ce qu'il ne peut pas faire. Il respectera et aimera de plus en plus son maître s'il sait exactement comment lui faire plaisir. Le chien veut être accepté et aimé ; si on le félicite pour ce qu'il fait de bien et si on le corrige fermement quand il se comporte mal, il s'efforcera de bien se conduire pour avoir des félicitations. Les chiens, comme les enfants, sont très sensibles à la logique et à la justice.

Procédé et technique

Dites « Non » d'une voix ferme et autoritaire toutes les fois que vous voulez arrêter une action répréhensible du chien. Ne l'appelez alors jamais par son nom. Laissez-lui du temps pour réagir à l'ordre donné. Certains chiens obéissent immédiatement, d'autres mettent une ou deux secondes. Selon la race et le tempérament individuel, une à cinq secondes peuvent être nécessaires. Dites « Non » une seule fois sans rien ajouter d'autre. Quand le chien obéit, félicitez-le ; ainsi, pour recevoir des félicitations, le chien fera ce que vous voulez. Ce qui importe, c'est la façon de dire « Non » ; la voix doit être profonde, calme et autoritaire, plutôt que coléreuse et passionnée. Si vous devez répéter le mot « Non », c'est que quelque chose ne va pas. Essayez de rendre votre voix plus ferme. Ne frappez le chien sous aucun prétexte. Pendant les séances de dressage, on corrige le chien en disant « Non ».

Pour les aspects du dressage qui sont traités aux chapitres 3 et 4, on dit « Non » en secouant la boîte (voir chapitre 2). Quand le chien se comporte mal et ne réagit pas au « Non » aussi bien qu'il devrait, secouez la boîte derrière vous avant de dire « Non ».

« Bien », définition

Ce mot intervient de différentes façons. Pour appeler votre chien vous dites « Bien » suivi du nom de l'animal. Après une séance de dressage, ou quand le chien qui marche à côté de vous doit quitter le trottoir pour se soulager dans le caniveau, vous le libérez en disant « Bien ».

Les fondements de ce dressage

« Bien » est un mot positif. Il doit évoquer pour le chien des souvenirs agréables. C'est le mot qui libère après une contrainte, c'est aussi avec ce mot que vous invitez le chien à venir à vous. Quand l'animal est loin et que vous devez élever la voix pour vous faire entendre, votre appel pourrait être compris comme une réprimande, comme si vous disiez : « Tu ferais mieux de venir ici, sinon... » Mais si vous faites précéder votre ordre du mot « Bien » dit d'un ton joyeux, le chien est automatiquement assuré d'être bien reçu ; puisque le chien ne demande qu'amour et affection, votre « Bien » lui indique qu'en effet tout va bien.

Procédé et technique

Quand on prononce le mot « Bien », tout alors *devrait* être bien. N'employez pas ce mot dans un contexte négatif sous peine de le rendre inefficace comme outil de dressage. Le mot est considéré comme un ordre, mais comme un ordre plaisant qui indique au chien que quelque chose d'agréable va se produire.

Pour marquer la fin d'une contrainte. Supposons qu'il soit dressé à se soulager à l'extérieur, un chien bien dressé marche à gauche de son maître pour aller à l'endroit où il se soulage habituellement. Vous ne lui laissez qu'un mètre de laisse, en gardant le reste dans votre main, ce qui empêche l'animal de s'éloigner de vous. Arrivé à l'endroit voulu, vous lui dites « Bien » d'un ton engageant et laissez glisser de votre main le restant de la laisse. Vous lui faites alors quitter le trottoir et le menez dans le caniveau. Si le dressage est conduit avec *logique et cohérence*, l'animal comprend très vite ce que l'on attend de lui. « Bien » va devenir un mot très important pour lui. Si le chien est pressé de se soulager, tenez-vous à l'écart ; il arrive que le maître soit obligé de changer de pantalon au retour de la promenade.

« Bien » termine aussi une séance de dressage. « Bien, Pierrot, c'est tout » suscite une réaction de joie, à moins que le chien ne soit épuisé par sa leçon, ce qui arrive souvent. Même dans ce cas, il sera content d'entendre le mot « Bien » et il en sera toujours ainsi pendant toute la vie de l'animal.

6

CORRECTION PAR LA TRACTION BRUSQUE DU COLLIER

Un chien ne parle aucun langage connu des hommes, mais il réagit à votre plaisir et à votre mécontentement. En tout premier lieu, il doit apprendre qu'il n'y a qu'une seule façon d'agir : celle qui vous agrée. C'est pourquoi, il est important de savoir lui communiquer votre mécontentement quand il ne se comporte pas comme il le devrait. Si vous hurlez ou le battez, peut-être saura-t-il quand il a mal agi, mais son esprit ne pourra franchir l'étape suivante et comprendre ce qu'il aurait dû faire. La technique la plus efficace pour établir la communication est la traction brusque du collier. C'est l'opération essentielle pour corriger un chien et on l'utilise très souvent au cours du dressage ; on ne saurait trop en souligner l'importance. Une fois cette technique apprise, vous serez en possession d'un outil précieux pour éduquer et corriger tous les chiens que vous aurez.

Définition

La laisse de dressage de 1,80 m est attachée à un collier métallique placé, sans le serrer, autour du cou de l'animal. Vous tenez la laisse de la main droite tandis que le chien est assis ou debout à votre gauche ; le maître et le chien regardent dans la même direction. La moitié de la laisse pend du collier et vous passe devant les genoux, tandis que vous gardez la moitié restante dans la main droite. Vous tirez brusquement la laisse vers la droite, latéralement, l'éloignant de votre cuisse gauche. En tirant la laisse, vous dites « Non » d'une voix ferme. Ce geste s'exécute rapidement, de sorte que la main droite reprend sa

Fig. 3. Comment tenir la laisse de dressage de 1,80 m.

position de départ en une fraction de seconde. Pendant que vous tirez, le collier se resserre autour du cou de l'animal qui le sent modérément. Tandis que la main droite reprend sa position de départ, le collier se détend automatiquement et se relâche.

Les fondements de ce dressage

Utilisé pour la première fois, ce procédé trouble quelque peu le chien. Sans lui faire mal, cette traction le surprend beaucoup. « Non » dit d'une voix ferme renforce l'effet de la traction et indique clairement que le chien a fait quelque chose qui vous déplaît. Ainsi il apprendra à distinguer ce qui est bien de ce qui est mal. Chaque fois que le chien refuse d'obéir à un ordre ou cède à une mauvaise habitude, utilisez ce moyen de correction.

Immédiatement après l'avoir ainsi corrigé, félicitez-le avec enthousiasme et encouragez-le par des paroles.

Une seule traction exécutée d'une main ferme, selon la technique exposée ci-dessus, vaut mieux qu'un grand nombre de tractions plus légères. Dix ou quinze petites tractions finiraient par irriter et épuiser l'animal sans le faire obéir pour autant. Le recours trop fréquent à ce procédé rendrait le chien craintif. Si l'on accompagne chaque traction d'un « Non » ferme, ce mot seul, sans le geste, finira par suffire. Ce sera le commencement d'un réflexe conditionné que le chien gardera pour le restant de sa vie.

Procédé et technique

D'abord apprenez à tenir la laisse comme il faut. La laisse de dressage de 1,80 m se tient de la main droite, elle est reliée au collier. Le chien est à votre gauche ; le maître et le chien

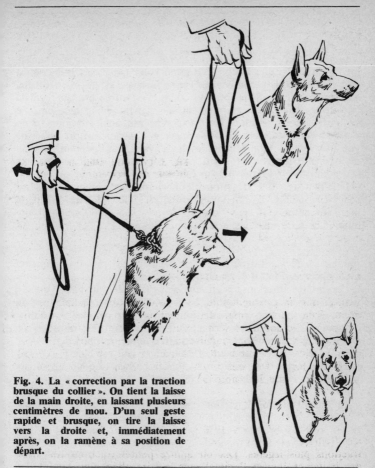

Fig. 4. La « correction par la traction brusque du collier ». On tient la laisse de la main droite, en laissant plusieurs centimètres de mou. D'un seul geste rapide et brusque, on tire la laisse vers la droite et, immédiatement après, on la ramène à sa position de départ.

regardent dans la même direction.

Insérez le pouce de la main droite dans la partie supérieure de la boucle et tenez la laisse à pleine main (voir Figure 3). Seulement un tiers ou la moitié de la laisse — selon votre taille — pend du collier et vous passe devant les genoux. Le reste de la laisse pend de la main droite, vous effleurant à peine la face externe de la cuisse droite. Ainsi vous tenez à la fois la boucle et le reste de la laisse dans la main droite, ce qui vous assure une prise solide et vous permet de bien gouverner le chien. Si le chien voulait s'échapper, vous retiendriez solidement la laisse dans votre main avec le pouce.

Comment exécuter correctement cette traction. Regardez dans la même direction que le chien. Il est à votre gauche et la laisse est attachée au collier coulissant. Tenez la laisse de la main droite, gardez bras et mains le long du corps. Vous tirez brusquement la laisse vers la droite, latéralement, l'éloignant de la face externe de votre cuisse droite. Ce geste s'accompagne toujours d'un « Non » autoritaire. Le bras se meut comme un ressort, vous ne vous servez que du poignet et de l'avant-bras, pendant que la main droite reprend sa position de départ immédiatement après la traction (voir Figure 4). Après s'être resserré autour du cou du chien pendant une fraction de seconde, le collier coulissant redevient lâche. Il s'agit de tirer, puis de relâcher. Tout le mouvement ne doit pas durer plus d'une seconde, sinon il risquerait de faire mal au chien ou de le blesser.

Quand exécuter cette traction. Il ne faut pas tirer avec force au point de soulever les pattes du chien. Ce serait plus une punition qu'une correction. Il se peut que le chien geigne ou aboie après les premières tractions. N'en soyez pas troublé ; au pire, vous ne pouvez que lui pincer le cou. Très probablement, le chien essaie de vous manœuvrer pour que vous lui laissiez prendre l'initiative comme il l'a sans doute fait jusqu'à maintenant. Certains chiens émettent des aboiements aigus pour que vous renonciez à leur faire faire ce qu'ils ne veulent pas. C'est une espièglerie, en fait le chien n'a pas le moindre mal. Restez ferme et ne laissez jamais le chien se rendre maître de la situation.

Félicitations. Immédiatement après avoir ainsi corrigé le chien, félicitez-le immédiatement avec grand enthousiasme. Ne lui ménagez pas les bravos, cela est très efficace. Contentez-vous de félicitations verbales sans le caresser. Une tape sur la tête indique souvent que la leçon est terminée et qu'il peut se reposer. Les félicitations orales sont sa récompense et il en a besoin pour savoir qu'il vous a fait plaisir. C'est un des aspects du dressage à propos duquel beaucoup de gens se trompent ; parler à votre chien dans la rue peut paraître embarrassant, mais c'est la meilleure façon de mener à bien le dressage. Ne soyez pas gêné pour exprimer votre affection et votre enthousiasme quand votre chien le mérite. Parler à un animal n'est pas aussi excentrique que cela peut paraître. On parle bien à un bébé qui pourtant ne comprend pas un seul mot. On fait comprendre au chien qu'on l'approuve en s'adressant à ses sentiments. La plupart des êtres humains et des animaux domestiques sont sensibles à cela. En félicitant un chien de la voix, on obtient de meilleurs résultats qu'avec des caresses et des tapes sur la tête. De cette façon vous exprimez votre approbation sans sacrifier les exigences du dressage.

Quand vous vous entraînez à exécuter la traction brusque du collier, ne vous exercez pas sur le chien ; cela l'épuiserait et le troublerait. Cette traction n'est qu'un outil à utiliser quand on lui enseigne à obéir aux autres ordres, ce n'est pas une fin en soi. Il serait beaucoup plus sage de s'exercer sur un manche à balai ou une rampe d'escalier jusqu'à ce que vous réussissiez bien. *Ne corrigez pas le chien pour une faute qu'il n'a pas commise.* Ce serait injuste et les effets en seraient négatifs.

7

« ASSIS »

Avez-vous jamais vu un chien faire semblant de ne pas entendre quand son maître lui donne un ordre ? Il est pénible de voir le visage de l'homme qui devient rouge et d'entendre sa voix qui monte d'octave en octave en hurlant : « Assis... Assis... Assis... Assis !!! » Peut-être vous est-il même arrivé de jouer ce rôle. On ne sait comment communiquer avec son chien ni que lui communiquer. Les ordres doivent être précis et cohérents. Aussi, au début de chaque chapitre, vous trouverez la définition de chacun des ordres à donner. A un ordre correspond une réaction correcte de la part de l'animal et une seule. Il ne faut pas dire « Assis » quand on veut que le chien cesse d'aboyer, de courir ou d'uriner sur la jambe de quelqu'un. L'ordre « Assis » n'a rien à voir avec aucune de ces situations.

Définition

En entendant cet ordre, le chien doit prendre la position assise, le corps droit, tout le poids reposant sur l'arrière-train. Les pattes de devant sont verticales, et en leur partie supérieure, légèrement inclinées vers l'intérieur. L'animal a l'allure fière, la tête haute et regarde droit devant lui.

Les fondements de ce dressage

La position assise est naturelle à un chien, mais le faire obéir à l'ordre « Assis » exige un dressage patient et un maître qui sache clairement pourquoi et quand il veut le faire asseoir. Un chien tend à s'asseoir quand sa curiosité est en éveil et qu'il veut observer quelque chose. Cet ordre est un des meilleurs procédés pour rester maître de son comportement et l'empêcher de se laisser distraire par des sollicitations indésirables. Si par exemple, on sonne chez vous, il risque de se mettre à aboyer et à courir comme un fou vers la porte. Pour maîtriser ce débordement d'énergie et pour qu'il ne fasse pas mourir de peur votre visiteur, il convient de l'arrêter. Vous pourriez l'arrêter en disant « Assis » ; mais à cause de ses capacités mentales limitées, le chien ne peut obéir à cet ordre alors qu'il est en train de s'agiter. D'abord il faut l'arrêter dans ce qu'il est en train de faire et ensuite on peut lui donner un ordre. C'est pourquoi vous devez d'abord dire « Non » et immédiatement après « Assis ». Si, par malheur, le chien se détachait dans la rue, vous pourriez, en disant « Assis », faire fonctionner le mécanisme de son cerveau qui le fait s'immobiliser et vous lui sauveriez la vie. Un chien bien dressé obéit toujours à un ordre de son maître, sauf s'il est en train de courir à toute vitesse ou s'il est profondément absorbé par une bataille entre chiens ; même dans ce cas, vous pourrez le maîtriser partiellement.

Dès maintenant et jusqu'à la fin du cours de dressage à l'obéissance, il importe de ne pas faire manger le chien avant une séance de dressage, sinon il serait trop apathique pour réagir correctement. L'obéissance à chacun des ordres traités dans ce cours, exige du chien une concentration absolue ; après avoir mangé, il ne voudrait pas apprendre. Il importe aussi de le laisser se soulager si le dressage se fait à l'extérieur.

Procédé et technique

Toutes les fois que vous lui apprenez à obéir à un ordre, vous devez obtenir toute son attention. Les principaux outils pour y réussir sont la laisse de 1,80 m et le collier. On ne peut rien faire sans eux.

« Assis » est le premier ordre que vous allez apprendre à votre chien ; essayez de lui faciliter la tâche, en lui épargnant, le plus possible, les causes de distraction. Amenez-le dans un endroit calme, au voisinage de votre maison ou bien utilisez une pièce tranquille chez vous. Il ne doit pas y avoir de spectateurs ! C'est moins gênant pour vous comme pour le chien. Si la séance de dressage a lieu à l'extérieur, laissez-le se soulager avant de commencer, sinon il ne pourra pas faire preuve de la concentration souhaitable.

Ne faites pas précéder « Assis » du nom du chien, ne le faites que pour les ordres qui impliquent un mouvement en avant, c'est-à-dire : « Suis-moi » et « Viens ».

La laisse. La laisse et le collier coulissant ayant une importance capitale, nous montrerons encore, comme au chapitre 6, la manière de s'en servir. Vous avez la laisse de dressage de 1,80 m à la main droite et le chien se tient à votre gauche. Maître et chien regardent dans la même direction. Insérez le pouce de la main droite dans la partie supérieure de la boucle et tenez la laisse à pleine main. Seulement un tiers ou la moitié de la laisse doit pendre du collier et vous passer devant les genoux ; moins on laisse de mou, plus il est facile de gouverner le chien.

Comment donner l'ordre. Après avoir pris la bonne position, la laisse étant tenue comme il faut, donnez l'ordre « Assis ». De la *main gauche* appuyez sur l'arrière-train du chien jusqu'à ce qu'il soit dans la position assise. Si votre geste est trop brutal ou trop rapide, il sera surpris, se mettra à sauter et à gambader. Donnez l'ordre d'une voix douce et autoritaire à la fois et appuyez sur son arrière-train lentement. Quand il a pris la bonne position (voir Figure 5), félicitez-le en disant : « Bravo, bravo ». Abstenez-vous de le caresser en le félicitant : un chiot pourrait mordre, un chien plus âgé pourrait interpréter une caresse ou une tape sur la tête comme le signal de la fin de la leçon. Quand vous le félicitez, que le ton de votre voix montre que vous êtes content de ce qu'il a fait.

Parvenu à ce stade du dressage, vous n'avez plus qu'à lui faire recommencer l'exercice jusqu'à ce qu'il s'asseye sans l'intervention de votre main gauche, ce qu'il fera assez vite. Surtout ne lui infligez pas de correction s'il ne réussit pas un exercice qu'il est en train d'apprendre. Il est inutile de lui infliger une correction pour n'avoir pas su faire quelque chose qu'il n'a pas encore appris.

Une fois que vous lui avez appris cet ordre, s'il ne l'exécute pas bien, vous pouvez alors employer la traction brusque du collier. Lors de la première séance consacrée à « Assis », faites recommencer l'exercice dix ou quinze fois, puis laissez-le se reposer, mais sans lui donner l'impression qu'il s'agit d'une récréation. Arrêtez-vous, puis faites-le marcher un peu, mais ne lui donnez pas l'impression que la séance de dressage est terminée. Après cette pose, reprenez la leçon et recommencez dix ou quinze fois. Les deux moitiés de la séance ne devraient pas durer

Fig. 5. La technique pour l'apprentissage de l'ordre « Assis ». De la main gauche on pousse le chien dans la position voulue tout en disant « Assis ».

plus de quinze ou vingt minutes en tout. S'il n'a pas appris au cours de cette première séance, consacrez-en une autre à cet ordre, mais attendez une heure au moins avant de recommencer. Le chien peut supporter deux séances par jour.

Comment corriger le chien par la traction brusque du collier. Si, après plusieurs séances, il éprouve encore des difficultés à apprendre à obéir à cet ordre, ayez recours à la traction brusque du collier. Le chien étant près de vous, ramassez la laisse dans la main droite en ne laissant que soixante ou quatre-vingt-dix centimètres de mou. Dites « Assis » et tirez sur la laisse de la main droite tout en appuyant sur son arrière-train de la main gauche. Une fois qu'il a pris la position assise, félicitez-le, cela est essentiel. Répétez l'ordre ; tirez doucement de la main droite ; faites-le asseoir de la gauche. Quand il s'assied, félicitez-le. Recommencez cet exercice jusqu'à ce qu'il s'asseye immédiatement après votre ordre. Sitôt l'ordre donné, exigez qu'il l'exécute sans attendre et ne répétez pas l'ordre avant de l'avoir forcé à l'exécuter correctement.

Nous avons ainsi les principes fondamentaux de ce cours : ordre, correction et félicitations. Ces trois principes s'appliquent à l'apprentissage de tous les ordres. Après que le chien a appris à bien exécuter un ordre donné, corrigez-le par la traction brusque du collier chaque fois qu'il ne fait pas ce qu'il faut. S'il fait semblant de ne pas entendre votre ordre ou simplement s'il n'obéit pas quand vous dites « Assis », tirez sur la laisse et dites sèchement « Non ! » Il s'assied alors parce que la traction lui a rappelé ce qu'il faut faire. Pensez à la formule : ordre, correc-

tion et félicitations. S'il obéit bien à votre ordre, passez directement aux félicitations. Le secret pour bien dresser un chien est
de le féliciter après un ordre ou une correction dès qu'il a bien
fait. Le chien sait qu'il vous a fait plaisir et il commence à
travailler pour avoir votre approbation. Ces félicitations vous
éviteront le désagrément d'avoir, pendant quinze ans, à donner
un morceau de sucre à votre chien, chaque fois que vous voulez
obtenir quelque chose de lui.

8

« SUIS-MOI » ET ARRÊT
DANS LA POSITION ASSISE

« Suis-moi » oblige le chien à vous emboîter le pas, c'est-à-dire qu'il ne vous tirera pas le long de la rue comme un traîneau dans le Grand Nord. Le débordement d'énergie d'un chien à sa première sortie n'a rien d'une partie de plaisir, à moins qu'il n'ait été dressé à obéir à l'ordre « Suis-moi » ; l'embarras est encore plus grand si l'animal a la taille d'un petit cheval.

Définition

Cet ordre est destiné à faire marcher le chien à votre gauche, la tête près de votre jambe. Il marche quand vous marchez et s'arrête en même temps que vous. Quand cet ordre est bien exécuté, le chien reste toujours à vos côtés (voir Figure 6).

Les fondements de ce dressage

Ne jetez pas ce livre par la fenêtre en disant : Je ne pourrai jamais obtenir d'Azor qu'il fasse cela pour moi. Malgré les apparences, cela n'est pas si difficile. Il y a beaucoup d'inconvénients à ne pas dresser le chien à obéir à cet ordre : être brutalement tiré par l'animal comme dans un rodéo ; ou bien avoir à traîner Azor sur le trottoir, avec une quinzaine de personnes autour de vous qui se disent amies des chiens et qui sont prêtes à se mêler de vos affaires, faisant naître en vous un insupportable complexe de culpabilité. Il n'est pas trop difficile d'apprendre au chien à obéir à cet ordre : il ne s'agit pas d'un

Fig. 6. « Suis-moi » et arrêt dans la position assise. Après avoir donné l'ordre « Suis-moi », on part du pied gauche. On donne à la laisse plusieurs centimètres de mou. La tête du chien se trouve au niveau de la jambe gauche du dresseur. Quand ce dernier s'arrête, le chien fait de même et prend la position « Assis ».

tour de force. Mais comme l'action ne correspond pas à un instinct naturel du chien, on doit être patient, diligent, et disposé à recommencer l'exercice.

Tout à l'extérieur est nouveau et intéressant, surtout pour un jeune chiot, et la rue avec ses spectacles et ses odeurs est pleine d'aventures. L'animal est naturellement porté à la curiosité et à la satisfaction de ses impulsions. Comme pour toute leçon, ne donnez pas à manger au chien avant une séance de dressage, sinon il serait trop apathique pour réagir correctement.

Si la séance a lieu à l'extérieur, permettez au chien de se soulager, sinon il ne serait pas en état d'apprendre ; trouvez un endroit tranquille qui offre le moins possible de distractions. Hors de la maison, le chien commence à courir devant vous, en tirant sur la laisse et en vous entraînant. Dans son enthousiasme, il devient parfaitement ingrat et oublie tout ce que vous avez fait pour lui. Aussi est-il impérieux de lui apprendre que c'est à vous d'abord qu'il doit donner son attention en promenade ou au cours d'une séance de dressage.

Le chien est de très bonne humeur quand vous l'amenez vers l'endroit où doit avoir lieu la séance. Comme il ne doit pas redouter ces séances, essayez de ne pas décourager ce sentiment de joie en lui.

Pour réussir le dressage vous devez savoir communiquer ; il y a une sorte de langage à apprendre. Les chiens sont comme des bébés qui ne grandiraient jamais. Avant de savoir parler, un enfant est sensible au ton, au volume et à la hauteur de la voix qu'il entend. Il en est de même avec les chiens. Le mot « Non » prononcé d'une voix ferme arrête la plupart des chiens.

Quand on veut attirer l'attention du chien et qu'on n'a pas à le corriger, on élève le ton de la voix et on lui parle comme à un bébé : « Bravo, tu es un bon chien ! » Félicitez-le et manifestez-lui de l'affection avec douceur et sincérité ; le ton de la voix importe plus que les paroles.

Procédé et technique

Chaque séance ne dépassera pas quinze minutes, il n'y en aura pas plus de deux par jour et elles auront lieu à, au moins, une heure d'intervalle.

Position correcte. D'abord mettez le chien dans la bonne position, assis à votre gauche. Le choix du côté gauche est traditionnel : à l'origine il garantissait la sécurité des chasseurs qui portaient leur arme de la main droite.

Tenez la laisse de 1,80 m dans la main droite comme pour la traction du collier. Gardez vos deux bras souples, le long du corps. Le tiers ou la moitié de la laisse vous pend devant les genoux. Ne tenez pas la laisse des deux mains, vous ne feriez que vous cramponner à l'animal. Veillez à ne pas lever le bras droit jusqu'à la hauteur de la poitrine : sans avoir la main droite près du corps, vous ne pourriez manœuvrer convenablement.

On appelle le chien par son nom. Après avoir pris, ainsi que votre chien, la bonne position et lorsque vous êtes prêt à partir, dites : « Pierrot, suis-moi ! » Ici il convient d'appeler l'animal par son nom parce que « Suis-moi » suggère un mouvement en avant. On attire ainsi son attention ; une fois son nom prononcé, toute son attention doit être pour vous ; il doit être prêt à partir. En disant « Pierrot, suis-moi », mettez-vous en marche, en partant du pied gauche ; c'est le pied qui est le plus près des yeux du chien ; ainsi l'animal partira en même temps que vous et vous vous déplacerez ensemble. Le but de ce dressage est de faire marcher le chien à vos côtés.

Si le chien court devant vous. Le chien aura probablement envie de courir devant vous. Vous résolvez ce problème en lui laissant toute la longueur de la laisse. Quand il arrive au bout, tournez vivement à droite. Au moment où vous le sentez tirer, dites d'une voix forte et autoritaire : « Suis-moi. » Dirigez-vous immédiatement dans la direction opposée. Le chien, qui a reçu une grande secousse, est forcé à prendre la même direction que vous. (Voir Figure 7). Une fois de plus, son instinct a été complètement contrecarré par votre volonté.

Certaines races crient sous l'effet du choc plus que d'autres. Ne montrez ni sollicitude ni sympathie. Continuez à marcher à vive allure et le chien vous rattrapera ; alors reprenez une partie de la laisse dans la main droite, exactement comme dans la position de départ. Si le chien s'élance de nouveau devant vous, répétez cette manœuvre : tournez vivement à droite, dites « Suis-moi », et dirigez-vous dans la direction opposée. Le chien ressent durement ce changement de direction, aussi faut-il le féliciter quand il vous rattrape. Les félicitations contribuent à lui montrer ce que cet ordre signifie. Elles lui apprennent qu'en marchant à vos côtés il vous fait plaisir. Elles lui font aussi vous donner son attention, ce qui le prépare pour n'importe quel arrêt ou changement de direction que vous décidez. *Selon la race, il convient de féliciter le chien tout de suite après le changement brusque de direction ou bien d'attendre quelques secondes. Certaines races ont besoin d'approbation immédiate, alors que d'autres interprètent ces félicitations comme le signe de la fin de la leçon. Reportez-vous à la troisième partie de cet ouvrage pour les détails concernant différentes races.*

Le chien s'attarde derrière vous. La tendance du chien à courir devant vous s'atténuera après chaque leçon de quinze minutes. Une fois qu'il ne se met plus à courir devant vous, attendez-vous à le voir s'attarder derrière vous. On résout ce problème facilement en encourageant, de la voix, le chien à vous emboîter le pas. Dites-lui qu'il est un bon chien, séduisez-le par des paroles pour qu'il vous rattrape. Par ces encouragements, vous accaparez son attention et le problème a des chances d'être résolu. Il est souhaitable d'habituer le chien à garder son attention fixée sur vous toutes les fois que vous le menez en promenade.

Comment le chien doit marcher à vos côtés. Après trois ou quatre leçons, il est temps d'apprendre au chien la position précise qu'il doit avoir quand il marche à vos côtés. Jusqu'à présent, il a eu tendance à aller devant vous, mais maintenant il

Fig. 7. Si le chien se met à courir en avant après avoir reçu l'ordre « Suis-moi », on tourne brusquement dans la direction opposée et l'on continue à avancer.

doit apprendre à toujours marcher la tête au niveau de votre jambe gauche, ni devant ni derrière.

Le chien est dans la position correspondant à l'ordre « Assis ». Dites-lui : « Pierrot, suis-moi. » Partez du pied gauche. Chaque fois que la tête du chien dépasse votre jambe, corrigez-le par une traction brusque du collier, dites sèchement « Non », tournez immédiatement à droite, dites « Pierrot, suis-moi. » et continuez à aller dans la direction opposée. Félicitez-le. On doit répéter cet exercice jusqu'à ce que le chien marche à vos côtés de la façon voulue. Il peut apprendre cela en une seule séance de quinze minutes. Cependant, continuez à recommencer l'exercice aussi longtemps que cela sera nécessaire. Ne faites pas travailler le chien pendant plus de quinze minutes chaque fois, ne prévoyez pas plus de deux séances par jour et laissez au moins une heure d'intervalle entre elles.

Le chien est trop craintif pour marcher. Parfois un chien trop craintif ou trop apeuré ne veut pas marcher du tout quand il se trouve à l'extérieur pour la première fois. C'est généralement le cas des chiots. Il se tapit, effrayé, vous vient dans les jambes tête baissée ou cherche la protection du premier mur qu'il voit. Le but du dressage est de débarrasser le chien de cette peur. Un excès d'autorité ne ferait qu'augmenter sa terreur et son trouble. D'abord essayez d'obtenir qu'il se mette en marche en lui intimant l'ordre « Suis-moi ». S'il refuse, faites un pas pour vous placer en face de lui et mettez-vous à genoux. Parlez-lui longuement, avec beaucoup de douceur, faites-le venir à vous. Procédez ainsi à trois ou quatre reprises jusqu'à ce qu'il vienne chaque fois que vous vous baissez. Une fois qu'il sait faire cela, commencez à reculer tandis qu'il est en train de venir à vous. Augmentez au fur et à mesure la distance qu'il doit parcourir. Une fois qu'il est debout et en train de marcher, levez-vous, remettez-vous dans la direction du départ et marchez ensemble. Si alors il s'immobilise et s'entête, continuez à marcher en le tirant jusqu'à ce qu'il cède. Prenez garde de ne pas lui écorcher le dessous des pattes sur les trottoirs ou autres surfaces dures : il se mettrait facilement à saigner et en serait traumatisé. Si vous devez continuer, amenez-le dans un parc. S'il s'immobilise encore, continuez à marcher en le tirant sur l'herbe. Cela lui évitera des blessures traumatisantes, et le forcera à marcher avec vous.

Le chien fait des bonds. Si votre chien est très exubérant et ne cesse de bondir sur les gens dans la rue, pendant les séances de dressage, corrigez-le par une traction brusque du collier, en disant sèchement « Non ». Il faut se rappeler que, si l'on décide de corriger le chien quand il bondit sur les gens, la correction doit toujours être appliquée, à l'intérieur comme à l'extérieur.

Le chien cesse de marcher au même pas que vous. Si le chien est affectueux à l'excès, il risque de vous venir dans les jambes. Cela peut procéder d'un sentiment d'insécurité ou d'une hypersensibilité. Pour ce qui est de l'ordre « Suis-moi », c'est ici le seul cas où l'on se sert de la main gauche pour mettre le chien dans la bonne position tout en marchant et en lui prodiguant des encouragements. Il doit toujours avoir la tête au niveau de votre jambe gauche. S'il continue à vous venir dans les jambes, marchez en le maintenant en place de la main gauche, en le corrigeant par la traction brusque du collier moins souvent qu'à l'ordinaire et en lui parlant d'une voix très douce.

Au début, il est plus important d'insister sur la position correcte que sur les autres aspects de l'ordre « Suis-moi » ; ne soyez pas trop autoritaire avec un chien inquiet ou apeuré, seules l'affection et la douceur le débarrasseront de sa peur.

Le chien vous coupe le chemin. Parfois le chien qui marche à vos côtés, tourne vers la droite, vous coupant le chemin, et vous vous gênez l'un l'autre. Cela provient souvent d'une inaptitude du chien à se diriger. La brusque traction du collier, accompagnée d'un « Non » prononcé sèchement, est la seule solution.

Puis vous tournez à droite ou à gauche selon que le chien s'est plus ou moins éloigné de son chemin. En tournant, entraînez-le doucement avec votre genou, pour le forcer à tourner en même temps que vous. Félicitez-le. Puis dites : « Pierrot, suis-moi. » Continuez à marcher. Félicitez-le. Procédez ainsi chaque fois que c'est nécessaire.

Toutes les fois que le chien est distrait et essaie de vous quitter ou de transformer la séance de dressage en récréation, procédez ainsi : corrigez-le par une traction brusque du collier, dites « Non » sèchement, puis « Pierrot, suis-moi. » Continuez à marcher ; félicitez-le.

Arrêt dans la position assise, définition

Quand le chien marche à vos côtés, il doit s'arrêter quand vous vous arrêtez et s'asseoir sans que vous ayez à lui en donner l'ordre. Dans cette position, il attend l'ordre suivant qui est généralement « Suis-moi ».

Arrêt dans la position assise, procédé et technique

Faites savoir au chien que vous allez vous arrêter. Si vous ralentissez simplement l'allure, il saura qu'il doit s'attendre à un changement. Parce qu'il vous observe la plupart du temps, il ralentira aussi. Quand vous vous immobilisez, dites « Assis » (sans prononcer le nom du chien). *L'ordre oral ne s'emploie que pendant l'apprentissage*. Si le chien ne s'assied pas, corrigez-le par la traction brusque du collier, à titre de rappel. N'oubliez pas de le féliciter après qu'il a réussi à obéir à un ordre, même s'il a réussi après correction.

Si le chien ne s'assied pas. Ne donnez jamais un ordre deux fois. Cette règle s'applique à tout le dressage. Vous ne pouvez pas vous tenir dans la rue en criant : « Assis, assis, assis, assis, assis » pendant des heures jusqu'à ce qu'il obéisse. Corrigez-le par la traction brusque du collier accompagnée de « Non » dit d'un ton sec. Le chien comprendra cela et obéira. Félicitez-le.

Vous devez donc : ralentir progressivement l'allure avant de vous immobiliser ; si le chien ne s'assied pas, dites « Assis » ; s'il ne réagit pas, corrigez-le par la traction brusque du collier, en disant sèchement « Non » ; s'il réagit convenablement, félicitez-le avec enthousiasme, même s'il a obéi après correction. Le chien recherche votre approbation.

Pour le cas, rare toutefois, où le chien ne réagit pas à la traction brusque du collier accompagnée de « Non », tirez de nouveau sur le collier en disant « Assis ! » Puis tirez lentement la laisse vers le haut et forcez le chien à s'asseoir en appuyant sur son arrière-train de la main gauche. Habituellement, on ne donne pas d'ordre en exécutant la traction brusque du collier, pour éviter au chien d'associer une émotion désagréable à un ordre donné. Cependant, dans ce cas extrême, il est nécessaire d'agir ainsi. La façon d'exécuter la traction brusque du collier est primordiale ici. Une ou deux fortes tractions vous épargneront, ainsi qu'à votre chien, bien des déceptions. Il doit savoir que vous ne plaisantez pas. Rappelez-vous que « Assis » est un ordre et « Non » une correction. Donnez les ordres avec fermeté et adoptez un ton autoritaire pour les corrections.

Toute séance de dressage doit bien se terminer ; aussi la leçon doit finir après que le chien a réussi, pour la première fois, à faire ce qu'on lui demandait. Naturellement, il n'exécutera pas vos ordres à la perfection avant plusieurs semaines. Par conséquent, dès qu'il exécute correctement un ordre nouveau, mettez fin à la leçon et félicitez-le abondamment. Cela l'aidera à se rappeler ce qu'il vient d'apprendre et lui donnera le désir de bien faire à la prochaine séance. Faites en sorte qu'il trouve le dressage amusant.

9

« ASSIS, RESTE LÀ »

Maintenant que vous avez appris à votre chien l'ordre « Assis »
et l'arrêt dans la position assise après avoir marché à vos côtés
sur l'ordre « Suis-moi », nous arrivons logiquement à l'ordre
suivant. Vous voulez qu'il garde la position assise. Ce n'est pas
aussi facile qu'on pourrait le croire. Les chiens obéissent littéralement : si on lui dit « Assis », un chien s'assied pendant un
instant et puis s'en va vers ce qui l'intéresse. Il croit avoir fait
son devoir. Si l'on veut qu'il garde la position assise pendant un
certain temps, il faut lui en donner l'ordre.

Définition

L'ordre « Assis, reste là » étant donné, le chien reste assis, le
corps droit, tout son poids reposant sur l'arrière-train. Il garde
cette position jusqu'à ce qu'il reçoive un autre ordre.

Les fondements de ce dressage

Vous donnez cet ordre lorsque vous ne voulez pas que le chien
bouge. Quand vous partez de chez vous, si le chien vous suit
jusqu'à la porte, vous savez qu'il se précipitera dehors, dès que
vous l'aurez ouverte. Dites « Assis » et il obéira. Mais aussitôt
que vous serez sur le point de sortir, il sortira aussi. C'est
pourquoi vous devez donner un autre ordre : « Reste là ».
 Cet ordre va à l'encontre de toutes ses impulsions instinctives.
La plupart des chiens, surtout les chiots, vous suivraient jusqu'au

bout du monde. Le chien veut aller où vous allez, faire ce que vous faites, c'est alors qu'il est heureux. Vos relations s'établissent dès les premiers mois. Le chien grandit et vous suit partout, à la cuisine, sur le divan et dans le lit. Il est tellement habitué à être avec vous, que la première fois que vous lui donnerez l'ordre « Reste là », il se demandera si vous n'êtes pas devenu fou. Il ne tiendra aucun compte de cet ordre, et fera la course avec vous partout où vous irez.

Après avoir appris l'ordre « Assis, reste là », parfois il lui sera encore très difficile d'y obéir. Par exemple, si vous recevez des amis, il attrapera une dépression nerveuse en essayant de se conformer à votre ordre « Assis, reste là » et de faire taire son désir de participer aux réjouissances. Vous devez soit l'éloigner, soit l'inviter à se faire admirer. Il en est de même si vous faites cuire un bifteck en sa présence. Aussi, ne vous attendez pas à ce qu'il reste assis éternellement. S'il tient de quinze à trente minutes c'est un chien extraordinaire et qui a été bien dressé.

L'ordre « Assis, reste là » n'est pas destiné à être exécuté en ville, sans laisse. Donner un ordre, aussi stupide en pareille circonstance, serait signer l'arrêt de mort de l'animal. Il se peut qu'un chien qui obéit parfaitement depuis six mois, ait soudain envie de poursuivre un autre chien ou un pigeon et soit ainsi tué par une voiture.

L'ordre « Assis, reste là » s'apprend à l'intérieur avec la laisse de 1,80 m. L'obéissance à cet ordre étant essentielle pour la sécurité du chien, il faut éliminer toutes les causes de distraction pendant l'apprentissage, qui se fera à l'intérieur, jusqu'à ce que vous arriviez à la partie de ce chapitre qui traite de l'emploi de la corde de 8 mètres.

Procédé et technique

Ici le dressage s'appuie sur un ordre oral, un geste de la main et un mouvement pivotant sur la demi-pointe du pied gauche.

L'ordre oral et le geste de la main. Mettez le chien dans la position « Assis », à votre gauche. Accordez-lui trente secondes pour s'installer confortablement. Le maître et le chien regardent dans la même direction. Donnez l'ordre « Assis, reste là » d'une voix ferme. Cet ordre ne suscitant pas un mouvement, ne le faites pas précéder du nom du chien. La laisse se tient de la main droite. En donnant l'ordre, rapprochez les doigts de votre main gauche (comme pour le salut militaire) que vous placez

Fig. 8. « Assis, reste là ». Au départ, le dresseur et le chien regardent dans la même direction. Le dresseur donne l'ordre oral qu'il accompagne du geste correct de la main. Le chien doit garder sa position quand le dresseur vient se mettre devant lui et qu'il recule.

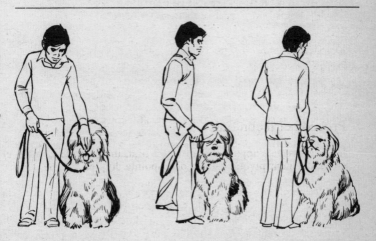

Fig. 9. Ordre oral et geste de la main simultanés, puis mouvement de pivot sur la demi-pointe du pied gauche.

devant les yeux du chien, à dix centimètres, sans lui toucher les yeux. Il s'agit simplement de l'empêcher de voir (voir Figure 8). Le geste de la main et l'ordre oral sont simultanés. Tenant la laisse de la main droite, vous étendez la main gauche devant vous, à dix centimètres et vous la portez vers la gauche pour empêcher le chien de voir. Ce geste de la main s'exécute posément mais vivement. Vous ramenez ainsi la main gauche près du corps, deux ou trois secondes après avoir empêché le chien de voir. Finalement, le chien réagira à ce geste de la main sans l'accompagnement de l'ordre oral.

Mouvement pivotant de la demi-pointe du pied gauche. Le maître et le chien regardent dans la même direction. Il s'agit de tourner posément, en un seul mouvement, de façon à faire face au chien qui, lui, ne doit pas bouger. Ne levez pas le pied gauche comme vous le feriez pour l'ordre « Suis-moi ». Levez le pied droit et tournez-vous vers le chien. Le pied gauche sert de pivot et tourne sur place. Néanmoins, on tolérera, si c'est nécessaire, un très petit mouvement du pied gauche. Une fois qu'après avoir tourné votre corps est en face du chien, ramenez le pied gauche près du droit, les deux pieds étant maintenant joints (voir Figure 9). Si vous leviez le pied gauche avant de vous trouver en face du chien, il comprendrait, à tort, qu'il s'agit de l'ordre « Suis-moi », et il se mettrait en marche.

Le secret du dressage pour « Reste là ». Quand vous pivotez devant lui, tenez 45 centimètres de laisse tendue verticalement, ce qui fait remonter le collier. Le reste de la laisse forme une boucle souple qui pend de votre main droite. Ainsi le chien ne peut pas bouger pendant que vous vous tournez pour vous mettre en face de lui, vous le maintenez immobile avec la partie tendue de la laisse. Il doit y avoir 45 centimètres de laisse tendue vers le haut. Ne tenez pas la laisse trop serrée, sinon le chien risque de s'étouffer ou de prendre peur et se débat pour partir.

Cette manœuvre précise de la laisse, tandis que vous pivotez, fait comprendre au chien qu'il doit rester là. L'ensemble du mouvement doit s'accomplir vite pour qu'il n'ait pas le temps de se retourner ou de se déplacer. Faites-lui garder la position et placez-vous en face de lui sans faire de mouvement inutile. Dix ou quinze essais sont nécessaires avant qu'il comprenne. N'oubliez pas de le féliciter quand vous avez réussi à vous placer en face de lui sans qu'il bouge, même si vous avez dû le maintenir en position au moyen de la laisse. (Ne prononcez pas son nom en le félicitant, sinon il essaierait de bouger.) Une fois que vous

Fig. 10. Comment tenir la laisse des deux mains tout en reculant. (Apprentissage de l'ordre « Assis, reste là. »)

êtes en face de lui, restez immobile dix ou quinze secondes, en continuant à tenir la laisse haute, pour qu'il commence à assimiler ce qu'on attend de lui. Vous ne venez vous placer ainsi en face de lui que pendant le dressage. Si vous dressez un chiot, vous pouvez vous montrer moins strict.

Vous vous éloignez à reculons tandis que le chien « reste là ». Une fois que le chien accepte d'être manœuvré par la laisse quand vous êtes en face de lui, il est temps de vous éloigner à reculons, tandis qu'il « reste là ». En tenant toujours la laisse au-dessus de la tête de l'animal, passez-la dans la main gauche, et insérez le pouce dans la partie supérieure de la boucle. De la main gauche, saisissez la laisse 45 centimètres au-dessus du collier et tenez-la sans serrer. La laisse doit pouvoir glisser dans votre main droite quand vous commencez à vous éloigner du chien. (Voir Figure 10.) Cette technique empêche la laisse de se détendre pendant que vous reculez. Cela est important : si la laisse se détendait, vous ne pourriez pas faire rester le chien à sa place.

Tandis que la laisse glisse, guidée par la main droite, commencez à reculer lentement. Si le chien se met à avancer, et il le fera sûrement, dites « Reste là ». En donnant cet ordre, avancez-vous vers le chien, tirez la laisse de la main droite et tenez-en 45 centimètres tendus au-dessus de sa tête. Maintenez la laisse tendue de façon que le chien soit forcé à rester assis. (Comme vous vous avancez, essayez de porter la laisse légèrement de côté en la tirant vers le haut, ceci pour éviter que le mousqueton ne vienne heurter la mâchoire du chien.) Cette correction empêche le chien de se déplacer. Pendant qu'il reprend sa position, félicitez-le de s'être arrêté sur votre ordre. Attendez quelques secondes, puis continuez à reculer, en faisant lentement glisser la laisse dans votre main droite. Peut-être, pourrez-vous reculer un peu plus, avant qu'il ne se remette à avancer. Dès que le chien avance, agissez comme précédemment : dites « Reste là », avancez-vous vers lui et tenez la laisse tendue au-dessus de sa tête, félicitez-le de s'être arrêté dès qu'il reprend la position assise.

Continuez à reculer jusqu'à 1,80 m (la longueur de la laisse). Recommencez cet exercice dix fois pour rendre la leçon efficace.

Vous allez d'un côté ou de l'autre du chien tandis qu'il « reste là ». Il faut maintenant conditionner le chien pour pouvoir aller à sa droite ou à sa gauche sans qu'il désobéisse à l'ordre « Reste là ». Généralement quand vous allez d'un côté du chien ou derrière lui pendant qu'il « reste là », assis, il tourne la tête pour regarder, puis tourne tout le corps pour se trouver en face de vous. Cela constitue une désobéissance à l'ordre donné. Si on la tolérait, le chien aurait tôt fait de s'en aller carrément. Il doit garder la position que vous lui avez donnée au début. On ne peut cependant pas éviter qu'il tourne un peu la tête, mais rien de plus. De nouveau debout face au chien, tenez, de la main droite, 45 centimètres de laisse tendue au-dessus de sa tête. Faites un ou deux pas sur sa droite sans détendre la laisse, puis revenez. Recommencez le mouvement, mais cette fois à gauche. Le chien s'habitue à vous sentir autour de lui tout en restant à sa place. Recommencez cela dix fois. Remettez le chien dans sa position du début, correspondant à l'ordre « Assis » (l'animal est à votre gauche) et recommencez cinq fois la leçon, depuis le début jusque-là.

Vous allez derrière le chien tandis qu'il « reste là ». De nouveau, tenez la laisse dans la main gauche. Debout face au chien, tendez, de la main droite, environ 45 centimètres de laisse au-dessus de sa tête. Tout en maintenant le chien en place, commencez à tourner autour de lui d'un pas alerte, mais sans trop de hâte. S'il se met à bouger, tirez la laisse vers le haut et répétez « Reste là ». En tournant autour du chien, faites de grands pas, donnez l'ordre à voix basse sur un ton rassurant. Cependant, c'est l'emploi discriminé de la laisse qui vous sert à communiquer.

La laisse est comparable aux rênes d'un cheval. Bien que tenue d'en haut, elle ne se tend que si le chien essaie de bouger. Dès qu'il cesse de bouger, vous donnez un peu de mou. Un cheval respecte tout de suite un cavalier qui sait manier les rênes. Il en est de même pour un chien. Si vous savez manier la laisse et le collier, le chien vous respecte et accepte votre autorité. Dès qu'il s'aperçoit que vos ordres manquent de cohérence, il désobéit. A votre tour, vous serez déçu, irrité, et vous enverrez la leçon au diable. Obéir à « Reste là » est difficile pour le chien, aussi n'essayez pas de tout lui faire faire en une séance. Laissez-le apprendre lentement. Plusieurs séances peuvent être nécessaires pour qu'il s'habitue à votre mouvement pivotant. Si le même jour, vous lui apprenez plus d'un des mouvements de ce chapitre, reposez-vous une heure entre les deux séances. Ne dépassez pas deux séances par jour. Le chien se fatigue, se lasse vite et devient inattentif. Il oublie ce qu'il apprend trop vite : il vaut mieux qu'il apprenne bien pour savoir obéir aux ordres donnés.

« Assis, reste là », sans laisse, à l'extérieur

Maintenant que vous avez appris, ainsi que votre chien, les principes de « Reste là », nous arrivons à un point très difficile : faire exécuter cet ordre sans laisse. Il est très dangereux d'enlever la laisse au chien et cette pratique ne se justifie que dans un très petit nombre de cas. Mais si l'on dispose d'un endroit sûr, sans circulation, ou bien d'un lieu clôturé, on peut, avec patience et application, procéder à ce dressage qui est facultatif.

Une corde à linge de 8 mètres. Pour apprendre au chien l'ordre « Reste là » sans laisse, il vous faut une corde à linge de 8 mètres. Toutefois avant d'aborder cette leçon, assurez-vous que le chien est parfaitement dressé à garder la position « Assis, reste là », avec la laisse de 1,80 m attachée à son collier. S'il n'en était pas capable, lui apprendre ce qui suit serait du temps perdu. On utilise la corde pour allonger la distance qui vous sépare du chien quand vous le mettez dans la position « Reste là ». S'il reste dans cette position à 1,80 m de vous, y restera-t-il encore à 4 mètres ? Il est bon qu'il puisse faire cela sans laisse, mais il n'y réussira jamais si ses résultats avec la laisse ne sont pas absolument parfaits. Il n'y a pas d'autre moyen pour y parvenir.

La technique est la même. Pour « Reste là » sans laisse, on emploie la même technique que quand on fait exécuter cet ordre avec laisse, à une différence près. Chaque fois que le chien garde la bonne position, vous allongez la laisse de 60 cm. Vous commencez avec une longueur de 2,40 m, et vous tournez autour du chien après l'avoir placé dans la position « Reste là ». Chaque fois qu'il se tient tranquille, allongez la laisse de 60 cm. Quand vous vous trouvez derrière le chien, au cours de votre déplacement circulaire, reprenez une partie de la laisse en la faisant coulisser dans la main droite, pour être plus près de lui, et pouvoir le corriger s'il bouge. En revenant devant le chien, lâchez la partie de la laisse ainsi reprise. Si le chien bouge à un moment quelconque de cet exercice, corrigez-le par une traction brusque du collier en disant sèchement « Non ». Maintenant il est bon de corriger l'animal, puisqu'il a appris les principes de l'ordre « Reste là ».

Allongez la corde à linge de 60 cm à la fois. Ne passez pas de 2,40 m à 6 m, en une ou deux leçons. Il est important de procéder méthodiquement : le chien doit apprendre à « rester là », à 1,80 m de vous, puis à 2,40 m, 3 m, 3,60 m et enfin vous laisserez toute la longueur. A 5,40 m ou à 6 m, il est difficile de le corriger efficacement par une traction du collier. Néanmoins, parce qu'à la traction vous avez associé le « Non » catégorique pour les courtes distances, « Non » seul sera presque suffisant pour les distances supérieures, pourvu que votre « Non » ait toujours été dit avec une très grande fermeté. Le chien associe maintenant votre « Non » à la traction, et obéit à la voix seule. Une fois qu'il réagira à votre « Non » avec la laisse, il fera de même sans laisse. Du point de vue psychologique, le chien est ainsi habitué à associer le « Non » catégorique à la traction brusque du collier ; il en viendra à obéir, en toutes circonstances, au seul ordre de la voix.

Vous êtes arrivé au bout de la corde. Une fois qu'il se trouve à 6 mètres de vous ou plus loin, le chien se met souvent à courir dans la direction opposée, bien qu'ayant reçu l'ordre « Reste là ». Il s'intéresse à un autre chien ou va à la chasse aux papillons. Dans ce cas, donnez-lui toute la longueur de la corde, puis tirez-le brusquement dans la direction opposée, de toutes vos forces, en criant un « Non » très catégorique, le plus fort possible. Cela représente la correction extrême et le chien s'en souviendra long-temps.

   Vous êtes maintenant prêt à lui faire exécuter cet exercice sans laisse. Ne faites pas cela sans être absolument sûr qu'il « restera là », à 7,50 m. Quand vous êtes prêt, avant d'enlever la laisse, assurez-vous que l'endroit est bien clôturé. S'il se met à bouger ou à courir après avoir été mis dans la position « Reste là », dites « Non » d'une voix très ferme. S'il ne réagit pas comme il conviendrait, *ne le punissez pas.* Reprenez pendant quelque temps l'exercice, avec la laisse de 8 mètres. Il finira par réagir convenablement.

   Il est parfois utile et commode de mettre le chien dans la position « Reste là » et de quitter la pièce. Mettez le chien dans la position « Assis ». Fixez la laisse de 1,80 m au collier et laissez-la traîner par terre. Dites « Reste là » et quittez la pièce. N'oubliez pas le geste de la main. Revenez cinq secondes après. S'il n'a pas bougé, félicitez-le. Recommencez cela dix fois. Ensuite quittez la pièce pendant dix secondes, revenez et félicitez-le. Vous l'assurez ainsi que vous ne le quittez pas vraiment. Peu à peu, quittez la pièce pendant un temps de plus en plus long, jusqu'à ce qu'il « reste là », seul, pendant cinq minutes au moins. Mais n'enlevez la laisse que lorsque vous serez sûr que le chien « restera là », sans bouger. La laisse, même quand vous ne la tenez pas, représente le lien d'autorité de vous au chien, il le connaît et le respecte. Il est bon de l'exercer à obéir à cet ordre chez vous, dans les situations de la vie courante. S'il s'approche de la poubelle, au moment où elle n'a pas de couvercle, dites « Assis, reste là » et allez replacer le couvercle. Faites de même quand un visiteur vient chez vous ou que l'on sonne à la porte. Ces exercices ajoutés aux leçons proprement dites, contribueront à compléter son éducation. Une fois que le chien a tout appris, sur l'ordre « Reste là », vous pouvez sans crainte le laisser seul dans une pièce ou parler sans être importuné, à des amis ou aux fournisseurs. De plus, cet ordre l'empêchera de se mêler d'affaires qui ne le concernent pas. Tout chien est un voyeur né, et l'ordre « Reste là » pourrait bien empêcher votre mariage de sombrer. Cela justifie la peine que l'on prend pour ce dressage !

10

« COUCHÉ » ET « COUCHÉ, RESTE LÀ »

Les dresseurs professionnels de chiens rencontrent souvent des problèmes apparemment difficiles mais vite résolus. Un de nos clients, musicien de son état, possède un magnifique basset répondant au nom de « Chat ». Or, Chat avait un problème : il ne pouvait pas s'asseoir comme un chien. Avec son corps long et lourd et ses courtes pattes, il lui était impossible de rester assis plus de quelques secondes. En position assise, son corps ne formait qu'un angle de dix degrés avec le sol. Il avait l'air d'une voiture hissée sur un cric. Les courtes pattes antérieures pouvaient difficilement supporter tout ce poids. On lui apprit alors les ordres « Couché » et « Couché, reste là ».

Même s'il ne s'agit pas d'un basset, votre chien a peut-être, dans une certaine mesure, le même problème que Chat. La position « Assis, reste là » ne peut être que passagère. Si le chien doit rester dans un coin pendant que vous vous occupez de vos invités, donnez les ordres « Couché » et « Couché, reste là ». La position étant plus confortable, il la gardera plus longtemps.

« Couché », définition

Le chien est couché sur le sol, la tête droite, il regarde devant lui. Les pattes antérieures sont étendues, les postérieures repliées, le bas du corps repose sur tout l'arrière-train. Les pattes postérieures doivent être bien parallèles sous le corps.

Les fondements de ce dressage

La position « Couché » est sans doute celle que le chien trouve la plus confortable. C'est peut-être aussi celle qu'il met le plus longtemps à apprendre. Etre assis, marcher, sont naturels pour lui et un chien apprend sans difficulté à obéir aux ordres correspondants. Mais se coucher sur ordre ne lui est pas naturel, bien que ce soit sa position pour le repos et le sommeil. Très souvent on donne l'ordre « Couché », pour arrêter un chien qui fait des sottises. « Couché » est un ordre et ne doit être utilisé que comme tel. Ainsi que nous l'avons exposé dans le chapitre 9, on ne peut donner un ordre directement quand le chien est en train de se mal conduire ; il faut d'abord faire cesser sa conduite indésirable.

Dans ce chapitre, la section « Procédé et technique » vous montrera qu'il faut un geste de la main pour aider le chien à obéir à cet ordre. D'un geste ample et lent, vous baissez le bras étendu, la paume ouverte et face au sol. Ce geste de la main peut entraîner des difficultés s'il s'agit d'un chien que l'on a battu. Quand il verra la main descendre, il prendra peur immédiatement, il pensera naturellement qu'il va être battu de nouveau. Il réagira de même quand quelqu'un étendra la main pour le caresser. Il s'éloignera en courant, reculera ou ira jusqu'à mordre la main qui le nourrit. On dit alors d'un tel chien qu'il a peur de la main.

Si c'est le cas de votre chien, vous devez cesser de le battre ; il est temps de le convaincre qu'une main qui va vers lui ou qui lui intime un ordre, représente quelque chose de favorable et n'annonce pas de coups. Si l'on a frappé le chien pendant longtemps ou trop fort, la situation est irrémédiable. On ne pourra pas employer avec lui le geste de la main. Il vous faudra compter sur le seul commandement oral. Vous pouvez essayer d'étendre la main en lui prodiguant force félicitations et paroles affectueuses. Au bout d'assez longtemps, cela peut modifier sa réaction. Cependant si ce n'est pas trop tard, ne vous servez de la main que pour les gestes qui accompagnent un ordre ou pour les manifestations affectueuses. Cette règle exclut aussi que l'on se serve de la main pour des menaces, des gestes violents, ou simplement des admonitions. Tendre l'index vers lui en disant « Sale bête » produit également un effet négatif.

Les ordres « Couché » et « Couché, reste là » sont utiles et peuvent rendre la vie plus agréable. Quand vous avez des amis à dîner, il est très difficile à Médor de ne pas intervenir. Si on lui intime les ordres « Couché » et « Couché, reste là », il. peut participer aux réjouissances sans faire de sottises. Ces ordres sont très utiles à l'extérieur, par exemple quand vous voulez vous reposer sur un banc public, sans être dérangé par le chien qui tire sur sa laisse. Cette position a beaucoup de succès auprès du chien qui la trouve reposante et confortable.

Comme l'obéissance à cet ordre est difficile à apprendre, il importe que vous soyez seul avec le chien. Ne vous attendez pas à ce qu'il l'apprenne en une seule séance. Mettez-y le temps nécessaire ; pas plus de deux séances par jour, à une heure d'intervalle, au moins ; une séance ne doit pas dépasser quinze minutes. Avant de commencer chacune de ces séances, faites exécuter par le chien les ordres déjà appris, pour le mettre dans les dispositions voulues. Ne lui faites pas apprendre en un jour plus qu'il ne peut assimiler. Il est bon de savoir que le chien apprendra mieux « Couché » et « Couché, reste là » que tous les autres ordres déjà vus. C'est que, pour cet apprentissage, il faut plus de temps et d'application de la part du maître que pour n'importe quel autre aspect de ce cours. De plus, vous emploierez tous les jours ces ordres plus souvent que les autres. Ces séances sont celles qui vous récompenseront le mieux de votre peine. Il n'y a pas de satisfaction plus grande que de voir le chien à 1,50 m ou à 3 mètres de vous, se coucher sur un geste de votre main.

« Couché », procédé et technique

Vous vous tenez à côté du chien. Mettez le chien dans la position « Assis, reste là » au début de chaque séance. Vous êtes debout à sa droite comme pour l'ordre « Suis-moi », vous tenez la laisse de l'une ou l'autre main à votre convenance. Le maître et le chien regardent dans la même direction. Mettez le genou gauche à terre. D'une voix ferme, dites « Couché » et, de la main restée libre, tirez les deux pattes antérieures en avant, de sorte qu'il ne puisse faire autrement que se laisser glisser à terre. Insérez l'index entre les extrémités des pattes pour pouvoir les saisir toutes deux d'une main (voir Figure 11). En séparant ainsi les pattes avec l'index, on évite qu'elles ne s'écrasent l'une contre l'autre.

Récapitulons : le maître et le chien regardent dans la même direction comme pour l'ordre « Suis-moi » ; le chien est dans la position « Assis, reste là » ; vous tenez la laisse de la main droite ; dites « Couché » ; quand votre genou se pose devant le chien, prenez-lui les deux pattes (que vous tenez séparées avec

Fig. 11. « Couché » et « Couché, reste là ». En tirant les pattes du chien en avant pour lui apprendre à exécuter l'ordre « Couché », on veille à séparer les deux pattes avec l'index, ce qui évite de faire mal au chien.

l'index) et tirez-les en avant, le forçant à se coucher.

Pour l'ordre « Couché », l'intonation est tout à fait particulière. On exagère les effets de voix pour que le son même incite le chien à se coucher. Le ton de votre voix doit descendre au fur et à mesure que le chien obéit à votre ordre et se couche. Traînez sur la deuxième syllabe du mot, de façon à laisser au chien le temps d'obéir, arrêtez votre émission de voix quand le chien s'est couché. On a ceci : « Couché-é-é-é- » et la voix descend pour accompagner le mouvement du chien : plus que le sens des mots, les chiens comprennent l'intonation et s'en souviennent.

Restez maître de la situation à l'aide de la laisse. Si le chien se lève en cours de séance, servez-vous de la laisse pour le remettre dans la position « Assis, reste là ». Ne lui appliquez ni la traction brusque du collier ni aucune autre correction : on ne corrige jamais quand on est en train de lui apprendre un ordre nouveau. En fait, on se sert surtout de la laisse pour maintenir le chien assis, tandis que vous prononcez lentement le mot « Couché » et que vous lui tirez les pattes en avant.

Toutes les fois que le chien se couche, félicitez-le bien. A ce point, cependant, il risque de rouler sur le côté. Félicitez-le cependant, pour s'être couché sur votre ordre (même si c'est vous qui l'avez tiré). L'important, à ce point est qu'il apprenne le principe de l'ordre « Couché ». Il se peut qu'il se mette à jouer et à folâtrer une fois qu'il est par terre. Laissez-le faire, on corrigera cela plus tard. Recommencez l'exercice dix ou quinze fois, jusqu'à ce qu'il n'essaie plus de résister quand on lui tire les pattes en avant. Si vous avez beaucoup de chance, il commencera peut-être à se coucher sans que vous ayez à le tirer.

Vous vous tenez face au chien. Le but est d'obtenir que le chien se couche, tandis que vous vous tenez devant lui, face à face. Cela est important pour le cas où il devrait obéir à votre ordre, à une certaine distance.

De nouveau, mettez le chien dans la position « Assis, reste là ». Allez en face de lui et agissez comme précédemment. Un genou à terre, dites « Couché-é-é-é-é » et, de la main droite, tirez-lui les pattes antérieures vers l'avant. Le maniement de la laisse est un peu plus difficile cette fois parce que vous la tenez de la main gauche, au-dessus et à gauche de la tête du chien. La laisse prend de l'importance ici. Parfois le chien a tendance à aller vers vous si vous vous tenez en face de lui. On doit le faire rester en place au moyen de la laisse, sans le corriger selon les règles. Probablement, vous n'aurez pas à recommencer cet exercice un aussi grand nombre de fois que le précédent, puisqu'il s'agit d'un exercice semblable, où seule change la position du maître. Recommencez dix ou quinze fois et arrêtez le dressage pour ce jour-là.

Le geste de la main, quand le maître se tient à côté du chien et donne l'ordre « Couché ». Vous allez maintenant accompagner l'ordre oral du geste de la main. Pour ce faire, tenez-vous à côté du chien ; c'est dans cette position — que vous adopterez toujours pour commencer — que vous maîtriserez le plus facilement l'animal et la laisse ; d'autre part, elle offre au chien moins d'occasions de distractions. Si le chien a reçu des coups ou si, pour quelque autre raison, il n'aime pas cet ordre, il essaiera peut-être de vous mordre quand vous exécuterez le geste de la main. Commencez la leçon en vous tenant à côté du chien ; c'est la position la moins dangereuse.

Vous êtes maintenant placé comme pour « Suis-moi » mais avec un genou au sol. Tenez la laisse de la main droite, la main gauche étant libre. La laisse part à droite du chien et vous passe devant le corps. Elle doit être bien tendue. Laissez-en environ trente centimètres entre le collier et votre main droite. Si le chien essaie de vous sauter dessus en folâtrant, vous n'avez qu'à tirer la laisse vers le haut, ainsi il ne peut que s'asseoir. Dites « Assis », encouragez-le d'un bravo et faites reprendre à la main droite sa position de départ.

Restez enjoué et que votre voix ne soit pas sévère. Voici le point critique de la leçon. Levez la main gauche au-dessus du champ de vision du chien et légèrement à droite de sa tête ; la paume est ouverte et face au sol, les doigts rapprochés. Vérifiez si la laisse que vous tenez de la main droite est tendue, cela est très important. Si vous avez la main gauche dans la bonne position, elle se trouve dans le champ de la vision périphérique du chien.

Fig. 12. « Couché » et « Couché, reste là ». On apprend au chien à se coucher. A genoux par terre, à côté du chien on pousse, de la main gauche, la laisse vers le sol.

Dites « Couché-é-é-é-é » en commençant à baisser la main gauche vers le sol. En descendant, votre main appuie sur la laisse, là où le mousqueton se fixe à l'anneau du collier. (Voir Figure 12) ; La pression de la main sur la laisse pousse le chien vers le sol. Le chien, qui voit votre main le pousser vers le bas, associera toujours ce geste à l'idée qu'il doit se coucher. Après un petit nombre de leçons, il n'opposera que peu ou pas du tout de résistance. Il a déjà appris la signification de l'ordre oral « Couché-é-é-é-é » et saura comment faire. Naturellement, il lui a fallu d'abord apprendre les deux points précédents. S'il résiste, s'oppose, continuez simplement à appuyer vers le bas, sans vous inquiéter si le collier se serre. Une fois que le chien est couché, prodiguez-lui des félicitations. Si son opposition est vraiment très grande, arrêtez immédiatement, adressez-lui quelques mots d'affection, faites-lui revoir les ordres « Suis-moi » et « Assis », puis revenez à cet exercice. Soyez patient et maîtrisez votre mauvaise humeur. Le chien n'apprendra pas cette leçon avec des menaces. C'est en persévérant et en lui faisant comprendre qu'il vous fait plaisir, que vous réussirez. Placez-vous comme au début et mettez le chien dans la position « Assis, reste là ». Tenez la laisse tendue de la main droite et mettez le genou au sol. Placez la main gauche, la paume ouverte, sur la laisse près du mousqueton, ordonnez « Couché-é-é-é-é » et poussez la laisse tendue vers le sol. Quand le chien arrive au sol, félicitez-le d'un joyeux « Bravo ». Qu'il sache que vous êtes très content de lui. C'est un dur exercice pour le chien et il se fatiguera vite. Il lui faut toute la concentration dont il est capable. Accordez-lui au moins une heure de repos après cette séance.

Le geste de la main quand le maître se tient face au chien et donne l'ordre « Couché ». Vous allez vous mettre face au chien. Il a vu, par côté, la main qui le forçait à se coucher. Maintenant il va la voir en face. Il est important qu'il ait d'abord vu votre main par côté, car ainsi il ne l'a pas associée à des coups possibles. Il lui sera maintenant plus facile d'accepter le geste de la main en face de lui, parce qu'il est familiarisé.

Après lui avoir fait prendre la position « Suis-moi », ordonnez-lui « Assis, reste là » ; alors allez en face de lui. Tenez la laisse de la main gauche, à votre gauche. Cela vous assure une maîtrise plus complète quand vous appuyez vers le bas. Posez un genou à terre, levez la main droite, la paume vers le sol, placez-la sur la laisse et poussez vers le bas. En même temps dites « Couché-é-é-é-é ». Une fois que le chien est à terre, il peut essayer de vous mordiller les doigts. Tolérez-le s'il ne vous fait pas mal, vous le corrigerez quand il saura exécuter l'ordre à la perfection. Si, cependant, le chien essaie de se cacher ou de jouer entre vos genoux, il faut le maîtriser avec la laisse en le mettant dans la position « Assis, reste là » et tout reprendre. Recommencez tout cet exercice jusqu'à ce que le chien n'oppose plus de résistance. On ne peut en faire plus en un jour. Terminez la séance gaiement, vous continuerez le lendemain. Résistez à la tentation de montrer l'exécution de ce nouvel ordre à vos parents et amis, jusqu'à ce que vous soyez absolument sûrs que le chien se le soit bien fixé dans la tête.

Le maître ne met pas de genou à terre. Revoyez le dressage des séances précédentes. Maintenant le but est de faire « coucher » le chien à l'aide d'un ordre oral et d'un geste de la main tandis que vous êtes en face de lui *sans genou à terre.* Debout, face au chien, à 45 centimètres de lui environ, mettez-le dans la position « Assis, reste là ». Tenez la laisse de la main gauche. S'il essaie de se lever, tendez la laisse en la levant au-dessus de sa tête. Cela le maintiendra en place. Même s'il n'obéit pas convenablement à l'ordre donné, il sera obligé de s'asseoir et d'attendre que vous le corrigiez ou recommenciez à lui donner les instructions.

Pour cet exercice, tendez la moitié de la laisse (soit 90 cm), levez le bras droit, la paume ouverte, face au sol, dites « Couché-é-é-é-é ». Quand vous donnez cet ordre oral, commencez à baisser le bras. Portez la main à plat sur le mousqueton de la laisse détendue qui est dirigée vers votre gauche, en formant un angle. (Voir Figure 13.) Le chien devrait se coucher sans y être forcé par la laisse. Adressez-lui un « Bravo » enthousiaste et recommencez dix fois.

On augmente la distance. Après une courte pause, recommencez en vous tenant plus loin du chien. Vous étiez à 45 cm, allez maintenant à 90 cm. A cette distance, on peut encore corriger le chien, s'il folâtre trop ou s'il ne répond pas convenablement à

Fig. 13. « Couché » et « Couché, reste là ». Debout, face au chien, on pousse la laisse vers le sol.

l'ordre. S'il s'éloigne ou s'il vient vers vous, corrigez-le par la traction brusque du collier en disant « Non » d'une voix ferme. On peut se permettre maintenant de le corriger ainsi parce que le chien s'est familiarisé avec cet ordre ; vous ne lui apprenez plus les principes de l'ordre « Couché » mais plutôt ses subtilités.

De nouveau, levez le bras, la paume ouverte comme pour le salut militaire. En disant « Couché-é-é-é », baissez le bras, la paume face au sol. Mais cette fois la main passe devant la laisse sans la toucher. (Voir Figure 14) C'est le signal de la main tel qu'on le voit, le bras se baisse pour reprendre sa position naturelle le long du corps. Le chien croit que la main va descendre jusqu'à sur la laisse et l'obliger à se coucher. Il prend la position « Couché » avant d'être poussé. Le mouvement lui deviendra bientôt naturel ; pour qu'il l'exécute, vous n'aurez qu'à faire ce geste du bras. (Voir Figure 15) Une fois que le chien a appris à obéir à cet ordre, vous pouvez le lui faire exécuter soit avec le geste de la main seul, soit avec l'ordre oral seul. Exercez-le en lui donnant plusieurs fois l'ordre « Couché-é-é-é » sans l'accompagner du geste de la main. Ensuite faites coucher l'animal, en recommençant plusieurs fois le geste de la main seul. Terminez la séance en donnant simultanément l'ordre de la voix et de la main. Rappelez-vous que beaucoup de félicitations sont nécessaires pour cette leçon. Prodiguez-les-lui toutes les fois qu'il réagit bien. Mais ne prononcez jamais son nom en le félicitant, sinon il se lèverait pour aller vers vous.

Si le chien est embarrassé quand vous faites le geste de la main sans l'accompagner de l'ordre oral, refaites ce geste plusieurs fois. S'il continue à ne pas réagir, associez de nouveau le geste de la main et l'ordre oral. Tout de suite après, essayez avec le seul geste de la main. Cela devrait contribuer à lui faire comprendre ce qu'on attend de lui. Il faut surtout qu'il y ait parfaite correspondance entre le geste de la main qui se baisse et le ton de la voix qui descend dans l'ordre prolongé « Couché-é-é-

Fig. 14. « Couché » et « Couché, reste là ». Le geste correct de la main qui accompagne l'ordre « Couché ».

Fig. 15. Le geste correct de la main qui accompagne l'ordre « Couché ».

Fig. 16. « Couché. » Comment apprendre cet ordre à un chien de grande taille. Faites passer la laisse sous le soulier contre la saillie du talon.

é-é ». Une fois qu'il exécute l'ordre de façon satisfaisante, cessez le travail et terminez la leçon joyeusement.

Variante pour les chiens de grande taille. La technique exposée dans ce chapitre est toujours efficace si elle est bien appliquée. Cependant, il existe une exception. Pour un chien de grande taille, il est malaisé de se servir de la laisse de cette façon. Aussi, au lieu de pousser la laisse avec la main, vous vous servez du pied. La laisse que vous avez dans la main droite est maintenue en place avec le pied gauche. (Fig. 16) Il s'agit de passer la laisse sous le soulier, contre la saillie formée par le talon. En faisant glisser la laisse sous le soulier, vous aurez plus de force dans la main droite et vous obligerez le chien à se coucher, tout en baissant le bras gauche comme indiqué précédemment. Donnez l'ordre « Couché-é-é-é-é » et tirez lentement sur la laisse au fur et à mesure que votre bras se baisse et passe devant les yeux du chien. Ne tirez pas trop rapidement sur la laisse, sinon vous aurez à soutenir une bagarre. Prenez soin de ne pas faire mal à l'animal, faute de quoi il associera toujours cet ordre à quelque chose de désagréable. Tirez lentement, avec douceur et fermeté. Prolongez l'ordre oral le temps nécessaire pour que le chien prenne la position « Couché ». Une fois qu'il s'est couché, adressez-lui un « Bravo » enthousiaste. S'il essaie de se lever, vous n'avez qu'à maintenir la laisse avec votre pied et il ne pourra pas bouger. N'employez cette technique que si le chien est de trop grande taille pour pouvoir le pousser avec la main sur la laisse. Dans ce cas, au lieu d'appuyer sur la laisse en direction du sol, vous la tirez vers le haut. On peut avoir à faire passer la laisse de la main gauche à la main droite quand on la tire vers le haut. Tout le reste demeure inchangé.

Conseil particulier. Si votre chien est excessivement agressif, instable, ou s'il mord par peur, trop de force de votre part le fera mordre ou réagir avec hostilité, il émettra, par exemple, des grognements sourds. Alors il n'est pas question de tirer la laisse vers le haut, même si l'animal est de grande taille ; il peut être également dangereux d'appuyer la laisse vers le sol. Contentez-vous de manipuler les pattes antérieures. Même cela doit se faire avec douceur et beaucoup de patience. Au lieu de lui tirer les pattes en avant, il faut lentement et doucement les lui pousser vers l'avant en plaçant votre main derrière les pattes ; le chien finit par tomber sur le sol, à contrecœur, mais sans résister avec agressivité. Donnez l'ordre « Couché-é-é-é-é » en lui poussant les pattes et en le cajolant doucement. Si, après tout cela, vous n'obtenez toujours rien, il ne vous reste qu'à éviter cet ordre ou à engager les services d'un dresseur professionnel. Il n'y a pas de problème avec un chiot ou un jeune chien. Les difficultés viennent de chiens plus âgés qui ont eu le temps de contracter de mauvaises habitudes, ou dont un dressage insuffisant, commencé trop tard, a rendu les nerfs malades.

« Couché, reste là », définition

Le chien est couché sur le sol, la tête droite ; il regarde devant lui. Les pattes antérieures sont étendues, les postérieures repliées ; le bas du corps repose sur la partie droite de son arrière-train ou sur la partie gauche. Il garde cette position, jusqu'à ce que la personne qui lui a donné l'ordre « Couché, reste là » le libère. (Voir Figure 17)

« Couché, reste là », procédé et technique

Si le chien a appris « Assis, reste là », il s'agit simplement d'appliquer la même technique pour « Couché, reste là ».

Après avoir mis le chien dans la position « Couché », dites « Reste là » d'une voix ferme, sans prononcer le nom du chien, cet ordre ne devant pas susciter de mouvement. En prononçant cet ordre, placez la main gauche devant les yeux du chien, la paume ouverte, les doigts rapprochés comme pour le salut militaire. La main doit être à dix centimètres des yeux de l'animal. Ordre oral et geste de la main sont simultanés, ce geste

Fig. 17. « Couché » et « Couché, reste là ». Voici les différentes positions que peut prendre un chien après avoir reçu l'ordre « Couché, reste là ». Le Braque de Weimar et le Bichon maltais ont parfaitement adopté la position requise. Le Husky a trouvé une version personnelle de cette position.

de la main s'exécute vivement mais posément, il empêche momentanément le chien de voir. Si le chien a appris à obéir à l'ordre « Assis, reste là », il n'y a rien à ajouter. S'il ne réagit pas convenablement, alors reportez-vous au chapitre 9 et faites-lui faire quelques révisions.

En conclusion. Les ordres « Couché » et « Couché, reste là » ne s'emploient pas pour corriger le chien. Si celui-ci saute sur un inconnu, sur le divan, le lit, la table de la salle à manger ou s'il va déranger les chatons, ne criez pas « Couché », le chien ne saurait que faire. Un « Non » catégorique est le seul moyen de le corriger. Ensuite vous pourrez lui donner n'importe quel ordre de votre choix ; ici, « Couché » convient très bien.

11

« VIENS ICI »

Pour faire venir à vous l'animal, le nom du chien précède l'ordre « Viens ici ». En disant « Bien » avant le nom du chien, par exemple « Bien, Vif-Argent, viens ici », on rassure le chien, on lui fait comprendre qu'on est bien disposé envers lui. Comme nous l'avons déjà fait remarquer un chien ne comprend pas les longues phrases. Aussi n'ajoutez rien d'autre, trop long, l'ordre perdrait de son efficacité et confondrait le chien. « Bien, Vif-Argent, viens ici » suffit, une fois que le chien a appris cet exercice. N'ajoutez rien sous peine de créer confusion, incertitude, et impossibilité d'obéir.

Deux remarques s'imposent. La première : « Viens ici » ne doit s'adresser qu'au chiot et au jeune chien. La deuxième : en ville il est très dangereux de laisser le chien sans laisse. Réfléchissez bien avant de faire exécuter cet ordre à l'extérieur, le chien pourrait y perdre la vie. Mais à l'intérieur, cet ordre est très commode pour faire aller le chien là où vous voulez.

Définition

Le chien vient à vous quand vous l'appelez et prend la position « Assis », en face de vous, quelles que soient les distractions qui peuvent le solliciter. (Voir Figure 18.)

Les fondements de ce dressage

« Viens ici » est sans doute l'ordre dont les gens ont le plus besoin et qu'ils savent le moins bien donner. Le chien passe la plus grande partie de sa vie à jouer et se laisser distraire par tout ce qui se présente. Or, on lui demande de réagir sur-le-champ, en changeant de centre d'intérêt et en faisant appel à toute sa concentration pour vous faire plaisir. A l'intérieur, il n'a rien d'autre à faire que de se rendre à votre appel ; mais à l'extérieur, il y a les odeurs, les spectacles, les autres chiens, les enfants, les gens, les objets en mouvement et les bruits qui accaparent son attention. C'est pour lui une véritable corvée de résister à tout cela et d'obéir à votre ordre.

Pour pouvoir lui apprendre à venir vers vous *sans laisse*, il faut commencer par l'entraîner *avec la laisse*. Il n'y a pas moyen de lui apprendre l'obéissance à cet ordre directement sans laisse. Avant de l'exercer sans laisse, vous devez passer par une série d'exercices au cours desquels on allonge la laisse progressivement. *N'essayez jamais de faire exécuter cet ordre sans laisse tant que le chien n'obéit pas parfaitement avec la laisse.* C'est trop dangereux. Pensez à ne *jamais* faire venir le chien à vous pour le réprimander. Si vous l'appelez par son nom ou si vous dites « Viens ici » et que vous le corrigez ou le punissez, il ne voudra jamais plus venir à vous. Evitez des réprimandes du genre de : « Princesse, viens ici. Qu'as-tu fait ? C'est honteux ! Que je ne t'y reprenne plus ! » Certains vont même jusqu'à frapper le chien qui est venu à eux sur leur ordre. Il faut traiter séparément chaque ordre donné. Si le chien obéit à un ordre, félicitez-le. S'il vient quand vous lui avez dit « Viens ici », il serait contraire aux règles de le gronder. D'autre part, prononcer son nom quand on a à le corriger, lui ferait associer le son de ce nom avec quelque chose de désagréable. Aucun être sensé ne se rend volontiers auprès de quelqu'un qui le réprimande ou le punit. S'il mérite une correction pour désobéissance, *c'est vous qui devez aller à lui.* Ainsi, vous garderez intacte sa faculté de réagir à l'ordre « Viens ici ». Il doit sentir qu'aller vers vous est quelque chose de souhaitable : il faut toujours lui rendre cette action agréable, en lui prodiguant des félicitations toutes les fois qu'il obéit. Si vous agissez d'une façon cohérente, il viendra toujours quand vous lui en donnerez l'ordre.

Il faut surtout veiller à ce qu'il ne montre aucune hésitation en obéissant à cet ordre. Il doit réagir tout de suite. Lorsqu'il vient, il sera récompensé par des félicitations, mais il faut dès le début lui faire clairement sentir qu'on ne doit pas avoir à l'appeler deux fois. L'obéissance immédiate peut lui sauver la vie en ville où plus de chiens sont tués par les voitures que par toute autre cause. Cela montre l'importance de cet ordre.

Fig. 18. « Viens ici ». On donne l'ordre oral, on exécute le geste de la main et la laisse vers soi en se servant de l'une et l'autre main tour à tour. Quand il arrive à vous, le chien prend la position assise.

Procédé et technique — avec laisse

Commencez à l'intérieur ou à l'extérieur. Il n'est pas indispensable de choisir un lieu dépourvu de toute occasion de distractions. Employez la laisse de 1,80 m. D'abord faites exécuter au chien les ordres de base : « Suis-moi », « Assis », « Assis, reste là », « Couché », « Couché, reste là »... Puis mettez-le dans la position « Assis, reste là ».

Placez-vous face au chien, à un peu moins de 1,80 m (la longueur de la laisse). Tenez la laisse de la main gauche (le pouce dans la boucle, comme dans les chapitres précédents) en laissant un tout petit peu de mou, pour ne pas risquer de tirer le chien en avant. A la moindre traction involontaire, le chien viendrait vers vous ; or il n'est pas souhaitable qu'il le fasse sans en avoir reçu l'ordre. Gardez la main qui tient la laisse (la gauche) légèrement au-dessus de la taille pour mieux gouverner le chien.

Ensuite donnez l'ordre oral. Que votre ton fasse sentir au chien qu'aller vers vous est une des choses les plus amusantes qu'il puisse faire. Le chien doit être content d'aller vers vous, parce qu'il va recevoir des félicitations. Cet ordre suscitant un mouvement, faites-le précéder du nom du chien et faites précéder le nom de « Bien ». Nous avons ainsi : « Bien, Princesse, viens ici ! » Ce « Bien » doit se dire sur un ton très joyeux. L'animal doit sentir que vous l'aimez. Que votre voix ne soit ni dure ni sévère. Il faut insister sur le mot « Bien » et passer sur le

reste. A ce mot le chien doit se mettre en mouvement. Il se peut qu'autrefois le sifflotement traditionnel était destiné à appeler le chien. Tout le monde connaît ce son, c'est celui d'une baudruche qui se dégonfle. Pour appeler le chien, un ordre précis est préférable à tout sifflement. Rares sont ceux qui savent siffler assez fort quand le chien se trouve au milieu de la rue, distrait par la circulation et les autres bruits.

Il est tout à fait possible que le chien vienne au premier essai. Si c'est le cas, pensez à le récompenser par de chaleureuses félicitations. Peu importe, pour le moment, s'il ne s'assied pas après être venu vers vous. Si, les premières fois, il vous saute dessus, c'est bien compréhensible. *Ne le corrigez pas quand il est en train d'apprendre un exercice nouveau.* Pour lui, la correction pourrait rester associée à l'ordre donné et il ne voudrait plus jamais obéir à cet ordre. Vous pouvez toujours le corriger à un autre moment, après qu'il a bien appris à exécuter cet ordre.

Vous tirez sur la laisse. Une fois que le petit Kiki commence à venir vers vous de lui-même, tirez doucement la laisse en disant « Bien ». Tirez toujours la laisse sur le mot « Bien ». Le processus est le suivant : « Bien » (tirez doucement la laisse), « Waldo, viens ici » (il vient vers vous), « Bravo, bravo ! » Dès qu'il vient vers vous, félicitez-le, que ce soit pour lui un moment enthousiasmant. Nous mettons ici l'accent sur les félicitations, car plus tard, vous serez concurrencé par diverses distractions, que vous ne surmonterez qu'en motivant le chien comme il convient, et cela, vous ne pourrez le faire qu'en le félicitant.

Le geste de la main. Ensuite on apprend au chien à réagir au geste de la main qui accompagne l'ordre oral. C'est utile quand le chien est très éloigné. Ce geste de la main est un geste naturel, logique, et vous serez tout à fait à votre aise en l'exécutant. Il s'agit simplement de lever la main droite qui se trouvait près du corps et de l'amener vers l'épaule gauche. (Voir Figure 19.) Dans les mêmes circonstances, les êtres humains font aussi ce geste. Le processus devient : « Bien » (légère traction de la laisse avec la main gauche ; geste complet de la main droite), « Melba, viens ici ». Félicitez chaleureusement l'animal quand il vient vers vous.

Le chien s'assied après avoir obéi à l'ordre « Viens ici ». Après avoir donné l'ordre « Viens ici », ramenez la laisse — des deux mains alternativement — jusqu'à ce qu'elle soit toute dans vos mains et que le chien ne puisse que s'asseoir en arrivant vers vous. Pour faciliter le mouvement, tirez la laisse vers le haut une fois que le chien est à vos pieds et dites « Assis ». Voici le processus : « Bien » (légère traction de la laisse avec la main gauche ; geste complet de la main droite *qui, cette fois saisit la laisse*), « Pierrot, viens ici » (ramenez la laisse des deux mains), « Bravo, bravo » (maintenant vous avez tiré doucement le chien vers vos pieds ; tirez la laisse vers le haut de la main gauche), « Assis. Bravo. Bravo. »

Si l'on apprend à l'animal à s'asseoir quand il arrive vers son maître, c'est pour des raisons d'ordre pratique. D'abord, quand il obéit à l'ordre « Viens ici », il se met à courir vers vous. S'il vient d'assez loin, il peut vous arriver dessus à 65 kilomètres à l'heure et vous renverser. Ou bien, il peut vous passer à côté sans pouvoir s'arrêter. Si on l'a habitué à s'asseoir quand il arrive vers son maître, automatiquement il ralentira son allure en s'approchant de lui. Recommencez dix ou quinze fois ou bien jusqu'à ce qu'il obéisse convenablement. Rappelez-vous que l'on fait tout ceci *avec la laisse*. A aucun moment, n'essayez de vous passer de la laisse, pour des raisons de sécurité d'abord, mais pour pouvoir gouverner le chien s'il se met à obliquer à gauche ou à droite. Pour lui faire parcourir une distance plus grande, il vous suffit de reculer tandis qu'il s'approche de vous. Prodiguez-lui des encouragements pendant qu'il avance, pour le rendre plus attentif à ce qu'il fait et aussi pour le motiver en vue des ordres à venir. « Bien, Pierrot, viens ici. Pierrot, viens ici. Bien. Bravo, bravo ». Une fois qu'il arrive à vous : « Assis. » « Bravo. »

Fig. 19. « Viens ici ». Le geste correct de la main.

Procédé et technique — sans laisse

Pour faire apprendre cet ordre sans laisse, à l'extérieur, on doit s'attendre à plusieurs mois de travail. Cet exercice n'est pas recommandé pour les chiens des villes. Mais si vous avez des hectares à votre disposition, ou un terrain clôturé, vous pouvez vous y livrer sans danger. Sachez que, pour réussir ici, vous devez vous adresser à un jeune chien ou à un chiot. Dès qu'un chien a six mois cet exercice devient presque impossible.

Le chien est à trois mètres de vous. Accrochez une corde à linge de quinze mètres à l'anneau de la laisse. Avec la laisse de 1,80 m vous maîtrisez parfaitement l'animal. A 3 m, 4,50 m, 6 m, 7,50 m et plus, vous n'allez pas le maîtriser aussi bien. Commencez en employant la même technique que précédemment *avec la laisse*, mais cette fois laissez 3 mètres de corde. Une fois que le chien a réussi parfaitement à une distance de trois mètres, imposez de nouveau la distance de 1,80 m, puis encore celle de 3 mètres. La répétition rend l'apprentissage plus efficace, et ainsi il n'oubliera jamais ce qu'on lui a appris. Evidemment cela ne peut se faire en une seule séance. Il vous faudra jusqu'à quatre séances, simplement pour l'exercer à 1,80 m.

On utilise une longueur de corde supérieure. Si le chien réussit parfaitement à une distance de 3 mètres, utilisez 4,50 m de corde. A cette distance, il arrive à vous, avant que vous n'ayez eu le temps de ramener toute la laisse. Même s'il vient d'une distance de 3 mètres, il n'est plus nécessaire de ramener la laisse des deux mains. Théoriquement, s'il vient de 3 mètres, il est capable de venir de 6 mètres ou même de 12 mètres. Il s'agit de l'exercer. Quand il a appris parfaitement à obéir à la distance de 1,80 m, passez à 3 mètres, 4,50 m, 6 m, 7,50 m, 9 m 10,50 m, etc.

Correction à distance. On attache la corde à linge à la laisse, pour pouvoir continuer, dans la mesure du possible, à maîtriser le chien, même si l'on ne peut ramener la corde comme on le fait pour la laisse de 1,80 m. Supposons que vous êtes en train de le dresser à la distance de 6 mètres et que le chien vient vers vous. Tout à coup, il aperçoit un autre chien à 4,50 m de lui et il se précipite. Sans la corde à linge, la séance se terminerait là. Mais vous pouvez relever la corde et la tenir fermement. En arrivant au bout de la corde, il sera arrêté net. A ce moment, criez « Non ». La correction le surprendra, et il ne sera pas prêt de l'oublier. Ainsi, même à 9 mètres ou à 12 mètres, vous avez encore la possibilité de le corriger s'il s'échappe, ce qui, en fait, se produira plus d'une fois. Continuez les exercices jusqu'à ce que le chien réussisse parfaitement à 15 mètres. Alors essayez sans corde à linge.

Sans utiliser la corde à linge. Il est possible que, pendant tout ce temps, le chien ait été conscient de la présence de la corde et qu'ainsi il se soit senti forcé d'obéir. Mais qu'arrive-t-il une fois qu'on enlève la corde ? Il se peut qu'il s'aperçoive de la différence. C'est pour cela que vous travaillez dans un lieu clôturé. S'il s'échappe, *ne vous effrayez pas, ne le poursuivez pas*, sinon il partira comme une flèche. Courez dans la direction opposée en disant « Viens ici, mon vieux. » Il vous suivra parce qu'il aura l'impression de jouer. Si cela n'a pas d'effet, mettez-vous à quatre pattes et cajolez-le pour le faire revenir. Une fois qu'il est de retour et en votre pouvoir, ne le réprimandez pas s'il a obéi à vos supplications, sinon en pareil cas, il ne leur obéira jamais plus. Une fois qu'il vient à vous, même s'il vous a fallu une demi-heure pour obtenir ce résultat, félicitez-le. Il ne faut jamais corriger un chien quand il vient à vous, c'est pourquoi faire apprendre cet ordre exige beaucoup de patience.

Si, sans corde, le chien ne vient pas après avoir réussi l'exercice avec quinze mètres de corde à linge, cela signifie que vous devez recommencer à le faire travailler à 1,80 m. Bien sûr, vous pourrez allonger graduellement la corde d'étape en étape, beaucoup plus rapidement. On peut présumer que le chien a appris à exécuter cet ordre, mais seulement en l'associant à la corde. Pensez alors à la formule : ordre, correction, félicitations. Donnez l'ordre : « Bien, Pierrot, viens ici ». Si le chien ne vient

pas quand on l'appelle, corrigez-le en disant « Non ! » Cela
devrait le faire obéir. Quand il arrive jusqu'à vous, félicitez-le.
Procédez ainsi de distance en distance jusqu'à 15 mètres. Quand,
cette fois, vous essayez de le faire travailler sans corde, assurez-
vous qu'il n'y a vraiment aucune distraction. Peut-être aurez-
vous alors une surprise agréable.

Ne donnez jamais l'ordre « Viens ici » d'une voix dure et ne
grondez jamais le chien qui vient d'obéir à cet ordre. Cela vaut
pour l'intérieur comme pour l'extérieur, ainsi que pour les
séances de dressage. Si le chien fait quelques dégâts dans la salle
de séjour et que vous l'appelez de la cuisine pour le gronder ou
le corriger, vous détruisez la valeur de cet ordre. En faisant
exécuter ces ordres selon les règles, quand l'occasion s'en présente en dehors des leçons, vous donnerez plus d'efficacité au
dressage.

12

« VA À TA PLACE »

A la différence des hommes, les chiens que vous remettez à leur place ne le ressentent pas comme une insulte. Ils aiment savoir où se tenir pour ne pas toujours se trouver sous les pas des gens. Les chiens peuvent être déçus dans leurs efforts pour contenter un ami indécis, au comportement incohérent. Si l'ordre « Va à ta place » est utile aux gens qui vivent dans une maison spacieuse, il est providentiel pour ceux qui habitent un petit appartement en ville. L'appartement de type courant a une chambre, une salle de séjour et une cuisine. Quand son occupant essaie de préparer à dîner pour quelques invités, le chien, en général, devient fou en s'efforçant de ne pas gêner. Une fois installé dans la salle de séjour, il doit éviter le balai à franges et ne pas se faire absorber par l'aspirateur. Il a alors reçu trente-six réprimandes et est prêt à voler plusieurs toasts au caviar (les chiens aiment le caviar), ce qui fera pousser à notre Epicure surmené des cris perçants et hystériques. On l'enferme alors dans la salle de bains pour la soirée, jusqu'à ce qu'un invité qui y pénètre s'évanouisse de frayeur. Pendant ce temps, le chien souffre d'ennui, de claustro-phobie et devient un brin paranoïaque par-dessus le marché. Ses maîtres, c'est compréhensible, sont troublés et irrités et sur le point de le donner au premier fermier venu qui le prendra pour faire mordre ses vaches. Ainsi finit une relation qui aurait pu être heureuse entre le maître et son chien. C'est dommage, parce qu'avec l'ordre « Va à ta place », tout cela est facilement évita-ble.

Définition

Sur votre ordre, le chien, quoi qu'il soit en train de faire et où qu'il soit, s'arrête, va dans un endroit déterminé et y reste jusqu'à nouvel ordre.

Les fondements de ce dressage

Le chien doit avoir un endroit à part, qu'il puisse considérer comme un coin bien à lui. Il convient de choisir cet endroit avec soin pour que le chien n'y gêne personne, à aucun moment, ou pour qu'une fois installé il ne risque pas d'en être délogé. Pour le bien-être du chien, cet endroit ne doit pas être trop éloigné des activités de la famille : les chiens prennent plaisir à voir les gens s'amuser. De plus, cet ordre vous évitera de voir le chien mendier de la nourriture quand vous êtes à table.

On rendra ce dressage plus attrayant en mettant dans l'endroit réservé au chien ses jouets et ses os, il se sentira à l'aise et plus en sécurité ; donnez-lui un petit bout de tapis ou un vieux coussin pour que son coin soit douillet et confortable. Avec tout cela le chien se sentira beaucoup mieux, du point de vue psychologique, cela est important pour son bien-être.

Dans une maison où il y a plusieurs animaux, il est indispensable de donner un endroit à chacun d'eux. Deux chiens mâles, par exemple, sont continuellement en lutte pour leurs droits territoriaux. Il convient alors d'assigner un coin à chacun et de ne jamais violer les droits ainsi établis. S'il y a un chien et un chat, ne laissez jamais le chat se servir du coin attribué au chien. Si l'on a un chien et une chienne, quand cette dernière est en chaleur, des coins respectifs n'empêcheront sans doute pas les contacts. Il faut les tenir séparés (si vous ne voulez pas qu'ils s'accouplent) par des moyens plus efficaces. Ce cas mis à part, les animaux apprennent vite à respecter leurs droits territoriaux propres.

Cet ordre vous permet de gouverner le comportement de l'animal à des moments très importants. Si un ami ou un voisin entre chez vous, et qu'il ne veut pas être importuné par le chien qui exige que l'on s'occupe de lui, il suffit de dire « Va à ta place ». Cela remonte au temps de l'homme des cavernes, où le chien faisait la garde à l'extérieur : c'était là sa place.

Il est utile de savoir que le chien va toujours à sa place, quand vous le voulez, si vous veillez à ce que votre ordre n'ait pas l'air d'une punition. Bien que votre objet soit d'empêcher le chien de faire des sottises, donnez toujours cet ordre gaiement pour qu'il n'associe pas son coin à quelque chose de mauvais. Cet ordre ne doit pas être l'équivalent du « Va dans ta chambre » que les parents disent à un enfant fautif.

Procédé et technique

Il faut d'abord choisir pour le chien un endroit dont il ait l'usage exclusif, que l'on ne change plus, et qui soit pour lui le lieu où il ne gêne jamais.

Vous êtes à 1,50 m de son coin. Pour cette leçon, employez la laisse de 1,80 m et le collier coulissant. Cet ordre suscitant un mouvement, faites-le toujours précéder du nom du chien. Commencez en vous mettant à 1,50 m de l'endroit choisi et dites : « Pierrot, va à ta place. » Puis, amenez le chien jusqu'à l'endroit voulu. Une fois que vous l'y avez amené, donnez l'ordre « Assis ». Félicitez-le, puis donnez l'ordre « Couché » et finalement « Reste là ». Félicitez-le. Laissez-le là tandis que vous vous éloignez à 1,80 m, mais de façon qu'il puisse vous voir. Il est probable qu'il restera à sa place tant que vous serez dans la pièce. A supposer que le chien ait appris à obéir à l'ordre «Viens ici », faites-le ainsi venir vers vous. Recommencez quinze fois.

« Va à ta place » doit se dire d'une voix douce et enjouée. Apprendre est difficile pour un chien, donnez-lui l'impression que c'est un ordre agréable auquel il aura du plaisir à obéir. N'abandonnez cependant pas le ton autoritaire habituel, ajoutez-y simplement un peu de gaieté.

Une fois que le chien vous accompagne de son plein gré, jusqu'à sa place à 1,50 m, essayez de recommencer à une distance de trois mètres. De nouveau, attirez son attention : « Pierrot, va à ta place », amenez-le à l'endroit voulu, dites-lui « Assis », puis « Couché » et enfin « Reste là ». Eloignez-vous à 1,80 m et, au bout de quelques secondes, appelez-le. Recommencez l'ensemble plusieurs fois. Ne soyez pas surpris si c'est lui qui se met à vous conduire à sa place après que vous lui avez fait faire cet exercice quelques fois. Il aime faire cela, on le récompense par des félicitations et des marques d'affection quand il réussit bien. Mais ne soyez pas trop tolérant pendant ce dressage. S'il se met à renifler quelque chose en se rendant à sa place, corrigez-le par une traction brusque du collier. Dirigez-le exactement vers son coin. Une fois que vous avez donné l'ordre, le chien ne doit s'occuper de rien d'autre.

On augmente la distance. Prenez une corde à linge de 6 mètres et fixez-la à la boucle de la laisse. Tenant le bout de la corde à 6 mètres du chien, dites « Pierrot, va à ta place ». Laissez-le faire tout seul. La corde sert à le gouverner. S'il s'écarte de la direction voulue, corrigez-le en disant « Non », puis répétez l'ordre primitif. S'il semble perdu ou s'il décide de ne pas obéir, amenez-le à sa place comme précédemment. Pour cet ordre, à la différence de certains autres, on a plutôt à lui apprendre l'exercice avec soin qu'à le réprimander.

L'ordre est donné d'une autre pièce. L'étape suivante consiste à lui donner cet ordre d'une autre pièce. Avec la laisse de 1,80 m, recommencez l'exercice, en vous tenant successivement dans chacune des pièces de votre maison ou de votre appartement. Vous lui apprenez le chemin qui, de n'importe quel endroit de chez vous, conduit à son coin, et cela lui restera. Une fois que le chien sait obéir à cet ordre avec la laisse, le succès sans laisse est garanti.

Attention, ne donnez cet ordre que quand c'est nécessaire ; n'en faites pas un numéro de cirque pour impressionner voisins et amis. Ne donnez pas cet ordre devant trop de gens rassemblés. Si le chien doit aller à sa place toutes les cinq minutes, il deviendra fou. Il doit prendre plaisir à exécuter cet ordre. Son coin doit être pour lui un petit paradis où il trouve refuge en cas de difficulté. Il voudra peut-être y rester pendant la plus grande partie du temps, ce sera sa maison.

Maintenant que vous avez étudié avec succès ces douze chapitres, vous pouvez considérer que votre chien est dressé à obéir. Félicitations ! Vous méritez un biscuit tout comme lui.

La partie suivante de cet ouvrage constitue, pour ainsi dire, des études supérieures. Maintenant que votre chien a appris à obéir, vous pouvez vous atteler à ses problèmes particuliers exposés dans les chapitres « Problèmes du chiot et du chien adulte », « Problèmes particuliers au chien adulte » et « Chiens à problèmes ». Les douze premiers chapitres vous ont donné les éléments de base à partir desquels vous pourrez progresser.

2e Partie

APRÈS LE COURS D'OBÉISSANCE

Heureusement pour nous, la psychanalyse et les autres formes de psychothérapie ne concernent pas les chiens, sinon nous assisterions à une ruée vers des cabinets où seraient organisés des séances de psychologie de groupe et des psychodrames à l'usage des chiens. Cela créerait des possibilités nouvelles sur un marché que les animaux domestiques font déjà bien prospérer.

Ce chapitre, très documenté, se propose de donner des renseignements utiles sur les problèmes posés par une douzaine de types de comportements possibles chez les chiens. Nous avons choisi les problèmes qui se présentent le plus souvent ; tous ne figurent pas à cause de l'espace dont nous disposions ou du manque de renseignements d'ordre technique ou médical. Beaucoup de ces problèmes ne se posent jamais quand le chien a suivi avec succès un cours d'obéissance comme celui exposé dans cet ouvrage. Beaucoup de ces difficultés peuvent s'atténuer, simplement si l'on soumet l'animal à divers exercices du cours d'obéissance. Un chien bien dressé et obéissant ne mange pas le tapis, n'aboie pas trop, ne mord pas, etc. Cependant certains facteurs dus aux circonstances, vont parfois à l'encontre du dressage, en créant ces mauvaises habitudes irritantes que les chiens prennent souvent. Par exemple, dans une famille dont les membres se rendent tous les jours à leur travail, laissant le chien seul on risque de trouver au retour un divan abîmé et l'on ne pense pas au téléphone qui n'a cessé de sonner, mettant les nerfs du chien à rude épreuve. Ces problèmes sont dus à l'ignorance du maître quand il s'agit de corriger le chien, et cette ignorance, aussi longtemps qu'elle continue ne fait que les aggraver. Les punitions, les réprimandes, les accès de mauvaise humeur, les coups tendent à créer de nouveaux problèmes et à aggraver ceux qui existent déjà.

Il faut revoir le cours d'obéissance, et il faut aussi envisager les situations en se plaçant du point de vue du chien. A la façon des psychologues, on peut souvent remédier à une difficulté en en comprenant les causes. On peut alors modifier ou supprimer les facteurs qui bouleversent le chien et influent sur son comportement. Taquineries, chahut, mauvais traitement de la part d'enfants, le fait de le laisser à l'attache, ne sont que quelques-uns des facteurs qui peuvent être à l'origine de la difficulté. Les suggestions de ce chapitre n'auront aucun effet sur certains chiens qui relèvent d'une éducation longue et fastidieuse que seul un dresseur professionnel peut donner. Si vous aimez votre chien et voulez le garder, c'est à lui que vous devez faire appel. Un bon dresseur a non seulement toutes les facilités du point de vue technique, mais de plus, il n'est pas concerné sur le plan affectif, et peut ainsi lui consacrer toute la patience voulue. Le dressage professionnel est à celui de l'amateur, ce qu'une ordonnance rédigée par un médecin est au comprimé d'aspirine.

Les deux premiers chapitres de cette partie : « Problèmes du chiot et du chien adulte » et « Problèmes particuliers au chien adulte », exposent les problèmes et leurs solutions. Toutes les mesures à prendre sont à la portée de tous ceux qui ont un chien. Le dernier chapitre : « Chiens à problèmes », préconise des remèdes qui ne peuvent être employés que par un dresseur. Nous donnons les moyens de reconnaître ces problèmes, de façon que le maître puisse s'adresser à un professionnel.

13

PROBLÈMES DU CHIOT
ET DU CHIEN ADULTE

Le chien mendie

Chez le jeune chiot, on considère cela comme un tour amusant, mais plus tard c'est insupportable. Il n'y a rien de pire qu'un chien assis à vos côtés, près de la table, et qui lève les yeux et geint pour qu'on lui donne de la nourriture. A peine tolérable lorsqu'il s'agit d'un repas de famille habituel, ce comportement est tout à fait inacceptable quand il y a des invités et il risque de gâter une réunion agréable.

C'est bien sûr une habitude prise quand le chien est très jeune, et une fois encore, c'est le maître qui est coupable. En lui donnant de la nourriture ou des douceurs entre les repas, vous en faites un mendiant. Il s'attend à avoir à manger à n'importe quelle heure du jour ou de la nuit et n'apprend jamais qu'il y a une heure de la journée qui est celle de son repas. Il croit qu'il peut manger partout où il vous voit manipuler de la nourriture. Comme pour le problème traité dans la section « Le chien prend de la nourriture sur la table », il faut être draconien et ne lui donner à manger que dans son écuelle, toujours au même endroit. D'autre part, ne lui donnez jamais rien d'autre que la nourriture qui lui est spécialement destinée, *et seulement à une heure précise, toujours la même*.

Pour lui faire passer cette habitude, mettez-lui le collier et la laisse avant votre repas. Asseyez-vous à table et attendez. Dès qu'il se met à mendier auprès de l'un des commensaux, corrigez-le énergiquement par une traction brusque du collier en disant d'une voix forte « Non ». Prévenez les personnes présentes de ce que vous allez faire pour éviter de les surprendre. Une autre

méthode consiste à utiliser la boîte (voir chapitre 2) en disant un
« Non » catégorique, à donner l'ordre « Couché », et « Reste là »
ou « Va à ta place ». Si vous faites cela d'une façon suivie, vous
le débarrasserez vite de cette mauvaise habitude.

Le chien lacère tout

Cette habitude est extrêmement coûteuse et destructrice. Avec les
dents, le chien lacère meubles, rideaux, draperies, souliers, vêtements etc... Des chiens ont ainsi causé des centaines et parfois
des milliers de dollars de dégâts. Très souvent, le maître décide
de se séparer de son chien, ce qui signifie déception pour le
maître et avenir incertain pour l'animal. Cela est d'autant plus
triste qu'on peut facilement résoudre ce problème.

Il y a plusieurs solutions. Avec certains chiens il suffit de
vaporiser n'importe lequel des produits spéciaux vendus dans le
commerce. Vous répandez ainsi le produit sur les objets que le
chien a lacérés et vers lesquels il a tendance à retourner. Ces
produits repoussent le chien à cause de leur odeur ou de leur
goût. On peut aussi employer de l'alun, poudre bon marché en
vente dans toutes les drogueries. Mélangez-la à une petite quantité d'eau, faites-en une pâte et passez-en sur tout ce que le chien
aime mordre. Le mélange est amer et extrêmement désagréable
pour l'animal. Bien que sans danger s'il l'avale, on doit l'utiliser
en petites quantités. L'alun est employé en médecine comme
astringent et styptique : son absorption massive — bien qu'impro-
bable à cause du mauvais goût — pourrait incommoder le chien.
Les sauces très épicées sont également efficaces. Des gens ont
trouvé une solution en laissant la radio en marche pendant leur
absence (moment où se font la plupart des dégâts). D'autres ont
enregistré une ou deux heures de conversation et le chien se demande ainsi si son maître est à la maison ou non. « La voix de
son maître » peut être efficace car les chiens lacèrent rarement
les objets quand le maître est chez lui. Enregistrez une ou deux
heures de conversation entrecoupée de corrections. Criez « Non »
et agitez la boîte (voir chapitre 2) toutes les cinq minutes, au
cours des vingt premières minutes de l'enregistrement.

Si le chien a jeté son dévolu sur un dessus-de-lit, un traversin
ou un oreiller, la technique de la souricière mettra fin à ce
problème. (Voir la section : « Le chien saute sur les meubles. »)

Quand il s'agit d'un chiot, voyez quels objets il lacère et
découragez-le immédiatement avant que l'habitude ne s'enracine.
Faites en sorte qu'il n'aille pas vers des objets en bois, des

meubles, des vêtements, des tapis, des rideaux et tout ce à quoi vous tenez. Un jouet en cuir cru, bien à lui, est le moyen préventif le plus sûr. N'attendez pas qu'il soit trop tard et qu'il vous ait abîmé vos tapis de prix. Un chiot lacère généralement les objets à sa disposition, parce qu'il a les dents qui poussent. Avant de partir, laissez-lui des cubes de glace. Le froid lui engourdira les gencives et atténuera la douleur. On peut aussi tremper un chiffon dans l'eau et le faire geler, il jouera le même rôle que les cubes de glace.

Beaucoup de chiens adultes lacèrent tout quand vous les laissez seuls, parce qu'ils s'ennuient, ont peur, sont inquiets, ne savent pas si vous allez revenir ou non. Ils n'agissent pas par méchanceté. Les punitions n'ont pas l'effet recherché, et ne font qu'accroître le sentiment d'insécurité de l'animal. Si vous arrivez à savoir pourquoi il se comporte ainsi, vous aurez peut-être à changer le milieu dans lequel il vit, par exemple : décrocher le téléphone si la sonnerie l'effraie, ne pas le laisser seul trop longtemps (dites à un ami de venir le voir), lui donner un chat comme compagnon de jeu, lui laisser beaucoup de jouets en cuir cru, d'os… En réfléchissant posément, on peut résoudre tous ces problèmes.

Le chien aboie trop

Ce problème se présente sous deux aspects. Si le chien aboie quand son maître est à la maison, c'est en général parce qu'il entend sonner à la porte ou qu'il entend un bruit à l'extérieur ou un inconnu qui approche, ou bien c'est parce qu'il veut manger, sortir, etc. D'autre part, le maître, après une absence, rentre chez lui et trouve un mot peu amène d'un voisin ou du propriétaire, lui enjoignant de faire taire le chien avant poursuites.

Il est plus facile de résoudre ce problème lorsque le chien aboie en présence du maître que pendant l'absence de celui-ci. En lui laissant la laisse et le collier coulissant, vous êtes prêt, quand il se met à aboyer, à le corriger par une traction brusque du collier tout en disant un « Non » catégorique. Souvent même, on obtient un bon résultat en agitant la boîte (voir chapitre 2) pendant que l'on dit « Non ». Mais la correction par la traction brusque du collier est la méthode la plus efficace.

Si le chien aboie trop quand il est seul à la maison, il faut le soumettre au cours fondamental d'obéissance. Un chien que l'on a laissé seul aboie pour différentes raisons : ou il est indiscipliné, ou il entend beaucoup de bruit à l'extérieur, ou simplement il veut faire sa volonté, c'est-à-dire que vous veniez dans la pièce et jouiez avec lui. Le cours fondamental d'obéissance tend à le calmer, le rassurer, le rendre docile. Plus il vous obéit, plus il est impatient de vous faire plaisir. Si le chien n'a pas été dressé à l'obéissance, c'est le moment de commencer. S'il a été dressé, reprenez simplement trois ou quatre exercices à titre de révision. N'oubliez pas de le féliciter toutes les fois qu'il fait bien.

Si vous n'avez pas de résultats, essayez de sortir et d'attendre dehors. Faites comme si vous alliez partir. Faites tout comme d'habitude, sans rien oublier : par exemple éteignez les lampes, tirez les rideaux etc. Ne fermez pas la porte à clé. Laissez-lui la laisse et le collier. Faites semblant de partir, mais à l'extérieur, ne vous tenez pas trop près de la porte, car son odorat lui révélerait votre présence. Il doit croire que vous êtes vraiment parti. Quand il commence à aboyer, rentrez précipitamment, saisissez la laisse et corrigez-le par une énergique traction du collier. En même temps, dites un « Non » très ferme. Si vous faites cela trois ou quatre fois, en tirant très fort au point de le soulever, il comprendra ce que vous voulez. Félicitez-le ensuite pour s'être arrêté d'aboyer. Ce problème doit être résolu ; sinon vous pourriez avoir à vous débarrasser du chien ou vous risqueriez d'être expulsé de chez vous. On recommande de tirer très fort pour le corriger, cela vaut mieux pour lui que d'aller chez des inconnus ou dans un refuge pour animaux.

Il se peut que le chien n'aboie pas pendant l'heure qui suit votre départ. Enregistrez alors une ou deux heures de conversation familiale entrecoupée de corrections : « Non ! » crié très fort et accompagné du bruit de la boîte (voir chapitre 2) toutes les cinq minutes, pendant les vingt premières minutes de l'enregistrement. S'il se doute que vous êtes aux alentours, il n'aboiera pas. Vous pouvez aussi attendre une heure dehors (pendant le week-end ou quand vous en avez le temps), et puis le corriger par la traction brusque du collier selon les indications ci-dessus. Mais de toute façon, il faut régler ce problème avant qu'il ne soit trop tard.

Avec toutes les méthodes ainsi suggérées, vous devez toujours accompagner votre traction d'un « Non » catégorique et le féliciter quand il obéit. Très vite, vous n'aurez plus qu'à dire « Non » d'une voix ferme.

Le chien urine trop

Un animal domestique doit pouvoir retenir son urine. Or beaucoup de chiens urinent en petites quantités, aux moments les plus inattendus et souillent parfois ainsi toute la maison. Cela peut être dû à une maladie, à une lésion des reins ou de la vessie. Il est bon de faire examiner votre chien par un vétérinaire. S'il est en bonne santé, il urine peut-être parce qu'il est peureux ou farouche. Un tel chien urine quand on le punit, quand on crie. C'est la peur ou l'extrême émotion qui le fait uriner. Uriner est un acte instinctif, signe de soumission à la domination d'un autre animal et de même à l'autorité excessive d'un maître. Quand un chiot mâle rencontre un mâle adulte, ils s'assurent mutuellement de leur sexe en se reniflant, puis, en général, s'engage une courte bataille que perd le chien le plus jeune ; ce dernier alors, en signe de soumission, se roule sur le dos et se met à uriner. C'est sa façon à lui de reconnaître la supériorité de l'autre mâle. C'est un processus identique qui le fait uriner quand vous le punissez ou criez.

Pour remédier à cela, il faut être beaucoup plus doux et supprimer punitions et réprimandes. Abstenez-vous de gestes menaçants ou brusques. Vous pouvez aussi réduire sa ration d'eau. En débarrassant le chien de son tempérament farouche et craintif (voir « Le chien timoré »), on résout ce problème.

Le chien fouille dans les poubelles

A moins d'en avoir été personnellement victime, vous pouvez penser que cette habitude fournit matière à anecdotes amusantes pour ceux qui aiment parler de leur chien. A notre avis, cette habitude répugnante risque aussi de coûter très cher au maître. Dans plus d'un cas, le chien accède à la poubelle, répand les ordures dans toute la maison et mange ce qu'il veut : coquilles d'œufs, marc de café... Puis il va dans la salle de séjour et régurgite le tout sur le tapis persan, vieux de deux siècles. Lorsqu'en arrivant vous constatez tout cela, vous avez envie de tuer l'animal. De plus s'il casse avec ses dents des os de volaille creux et qu'il en avale les pointes acérées, il risque d'en mourir. Faire les poubelles peut être très grave.

Ce problème se pose, que vous soyez chez vous ou non : les animaux sont fortement attirés par cette symphonie d'odeurs. Bien sûr, la solution la plus simple est de ne pas laisser la poubelle à la portée de votre chien, surtout si vous partez. Mais cela n'éduque pas le chien. Aussi, laissez à dessein la poubelle ouverte, après avoir mis le collier et la laisse à l'animal. Eloignez-vous. Au moment où le chien met le nez dans la poubelle,

corrigez-le par une traction brusque du collier en disant bien fort
« Non ». *Puis félicitez-le*. Vous pouvez aussi essayer de faire du
bruit avec la boîte (voir chapitre 2), si cela est plus commode.
Vous devriez obtenir de bons résultats après l'avoir corrigé ainsi
quatre ou cinq fois. Si vous partez, mettez de la sauce très épicée
ou de la moutarde chinoise forte sur les ordures. C'est une leçon
de choses vraiment efficace.

Le chien saute sur les meubles

Beaucoup de chiens, jeunes et vieux, que leur maître n'a pas bien
disciplinés, ont cette mauvaise habitude enracinée en eux. Si le
chien a la permission de dormir dans le lit de son maître, très
logiquement il considère fauteuils et divans comme les prolon-
gements du lit. Le chien ne fait pas ces différences subtiles. C'est
à vous de savoir si vous voulez permettre à votre chien de sauter
sur les meubles ou non.

Plusieurs solutions sont possibles. S'il s'agit d'un chiot, la
boîte décrite au chapitre 2 est très efficace. Au moment où
l'animal saute sur un meuble, vous agitez la boîte en disant
« Non » d'une voix ferme. Ne jetez pas la boîte par terre comme
vous le feriez avec un chien plus âgé. Il faut éviter d'effrayer le
chiot. Comme vous avez pu vous en rendre compte, la boîte
résout bon nombre de problèmes. N'oubliez pas de féliciter
l'animal dès qu'il tient compte de la correction.

Pour un chien plus âgé, appliquez la même technique, mais
cette fois *en jetant* la boîte par terre. Bien sûr, nous ne vous
disons pas de la jeter sur le chien ; jetez-la de côté. Le chien
étant plus âgé, la boîte ne suffit pas à l'effrayer. Une fois encore
dites « Non » d'une voix ferme, et félicitez l'animal après qu'il a
obéi. Si la boîte n'a pas d'effet, ayez recours au collier coulissant
et à la laisse. Mettez-les-lui quand vous êtes chez vous. Dès qu'il
saute sur un meuble, corrigez-le par une traction brusque du
collier, en disant « Non » d'un ton sévère. Aussitôt qu'il cesse de
sauter, félicitez-le. Rappelez-vous que sans félicitations, la correction n'a pas de sens.

Il est particulièrement irritant de constater que le chien attend
votre départ pour sauter sur son meuble préféré. Il en a toujours
un. Si à votre retour, vous trouvez des poils, de la salive ou pire
encore sur votre dessus-de-lit broché, cela montre que le chien
attend que vous soyez parti, commet son forfait, et détale dès
qu'il vous entend rentrer. On peut enregistrer une ou deux
heures de conversation entrecoupée de corrections. Toutes les

cinq minutes, pendant les vingt premières minutes de l'enregistrement, criez « Non » et faites du bruit avec la boîte.

Une autre solution, qui paraît horrible mais qui est en fait
inoffensive, consiste à placer dix ou quinze petits pièges à souris
sur le divan ou sur le lit. Recouvrez-les de cinq ou six épaisseurs
de papier journal. Joignez soigneusement les journaux avec du
ruban adhésif pour éviter que le chien ne se fasse mal. Quand
vous partirez, le chien va probablement sauter sur le lit et
déclencher les pièges qui heurteront les journaux dans un grand
bruit et le surprendront. Cela est presque toujours efficace.
Recommencez jusqu'à ce que, en arrivant chez vous, vous cons-
tatiez que les pièges ne se sont pas déclenchés.

C'est par la faute du maître que le chien saute sur les meubles.
Si on ne lui permettait jamais de le faire, il ne le ferait pas. La
plupart des gens aiment bien bercer un chiot dans les bras et
s'asseoir ainsi sur le divan. Que le chiot soit directement sur le
divan ou qu'il soit dans vos bras quand vous-même êtes assis sur
le divan, cela revient au même. Voilà la source de vos difficultés,
il est temps de les étouffer dans l'œuf. Quand le chien est adulte
et que l'habitude est bien prise, il n'est plus aussi amusant de
l'avoir sur le divan. Permettre au chien de dormir dans votre lit
lui est une invitation permanente à sauter sur les meubles. A
vous de décider.

Le chien saute sur les gens

Presque tous les chiens, s'ils sont excités, heureux et s'ils n'ont
pas été dressés, sautent sur les gens. Cela se produit dans la rue
et chez vous quand vient un visiteur. L'animal veut jouer, il veut
qu'on s'intéresse à lui. C'est le comportement du maître qui pose
le problème le plus délicat. Si l'on ne veut pas que le chiot ou le
chien saute sur les gens, il convient alors de toujours appliquer
cette règle. Si le chien saute sur vous quand vous êtes d'humeur
à jouer, vous ne pouvez pas vous attendre à ce qu'il ne le fasse
pas quand vous n'en avez plus envie. C'est trop compliqué pour
lui. Une attitude cohérente est le seul remède efficace. Dans la
plupart des cas où se pose ce problème, on constate que le
maître encourage le chien à sauter sur lui une ou deux fois par
semaine ; le reste du temps le maître n'aime pas cela et proteste
quand le chien veut sauter. C'est précisément à cause de cette
attitude incohérente que le chien saute sur tous ceux qui font la
moindre attention à lui. Il vous appartient de décider si vous
voulez laisser votre chien sauter sur les gens ou non.

Si vous ne voulez pas, une correction (la traction brusque du collier coulissant et un « Non » catégorique) l'arrêtera dans la plupart des cas pourvu que votre attitude soit cohérente (voir Figure 20). Si vous cédez une seule fois, vous annihilez l'effet du dressage. Si vous apprenez à un chiot à ne pas sauter, en le corrigeant quand il essaie de le faire, il ne le fera pas à condition que vous ne cédiez jamais, ne serait-ce qu'une fois.

On peut dresser les chiots à l'aide de la boîte (voir chapitre 2). Toutes les fois que le chiot essaie de sauter, ou de grimper sur vous ou sur quelqu'un d'autre, agitez vigoureusement la boîte en disant « Non » d'une voix très ferme. N'effrayez pas le jeune chien, il s'agit simplement d'accaparer son attention et de lui faire comprendre que son comportement vous est désagréable. Dès qu'il obéit, après votre correction, félicitez-le affectueusement. Ne vous penchez pas pour le caresser, sinon il se mettrait encore à sauter. Dites-lui qu'il est un bon chien d'une voix amicale. Il comprendra vite qu'il n'a pas à sauter sur vous pour que vous l'aimiez.

Pour un chien adulte qui a pris l'habitude de sauter sur les gens, employez une technique différente fondée sur le même principe. Demandez à quelqu'un de tenir le chien en laisse au moment de votre retour chez vous. Quand vous entrez et que le chien fait un bond, la personne qui tient la laisse le corrige par la traction brusque du collier en disant « Non » d'une voix ferme. Si le chien a suivi le cours d'obéissance, on lui donne l'ordre « Assis » immédiatement après la correction et on le félicite dès qu'il obéit à cet ordre. Si le chien n'a pas encore été dressé à obéir, alors on doit exécuter la traction brusque du collier avec vigueur en tirant vers la droite. Il se peut qu'il essaie encore de sauter après la première correction. Si l'on recommence plusieurs fois en une soirée, les résultats seront surprenants.

Si l'infraction a lieu à l'extérieur, sur la personne d'un inconnu par exemple, ne vous contentez pas de l'écarter en tirant sur la laisse. Exécutez la traction brusque du collier vers la droite et partez dans la direction opposée. Cela lui sera assez désagréable pour qu'il ne s'avise plus de recommencer. Faites cela toutes les fois qu'il saute et vous résoudrez ce problème. Mais rappelez-vous que si vous-même ou toute autre personne encourage le chien à sauter, ce dressage sera sans effet. Vous devez avertir tous ceux qui approchent le chien qu'ils ne doivent pas inviter l'animal à sauter sur eux.

Nous ne recommandons aucune des méthodes cruelles ou très dures employées autrefois : donner des coups de genou dans le

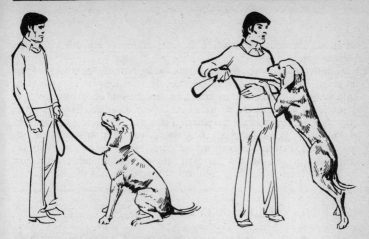

Fig. 20. Le chien saute sur les gens. On le corrige par la traction brusque du collier. On attend que le chien soit debout sur les pattes postérieures avant d'exécuter la traction brusque du collier.

poitrail de l'animal ou lui marcher sur les pattes. Cela n'est pas nécessaire si vous vous montrez cohérent dans vos exigences.

Le chien mordille
tout ce qui est à sa portée

Tous les chiots ont un moment difficile quand ils font leurs dents : ils mordent ou mordillent pour soulager la douleur causée par les dents qui poussent. Ils mordent les mains et les doigts, les jouets et les meubles. Le maître qui, en jouant, prend l'habitude de mettre la main dans la gueule de l'animal, encourage cette tendance ; c'est comme s'il apprenait au chien à mordre. Il y a plusieurs solutions. On peut tremper un chiffon dans l'eau et le faire geler avant de le donner au chiot qui le mâche, le froid lui engourdit les gencives et atténue la douleur, de sorte qu'il est moins poussé à mordre.

On peut aussi donner au chiot un jouet en cuir cru ou synthétique. Nous ne conseillons pas de lui donner un vieux soulier ou une vieille chaussette : vous le regretteriez par la suite, le chien ne sait pas faire la distinction entre un vieux soulier et un neuf. On peut employer à la fois les jouets en cuir cru et le chiffon gelé.

Il convient de résoudre ce problème le plus tôt possible ; sinon le chien pourrait garder l'habitude de mordre. Il faut toujours empêcher un chiot de mordre les doigts ou quoi que ce soit d'autre. Il vaut mieux mettre à sa disposition un jouet de cuir cru que le punir et le gronder. Tous vos cris, vos coups, vos réprimandes n'empêcheront pas ses dents de pousser et de lui faire mal. Si vous faites peur au chiot, vous risquez d'avoir un chien adulte craintif et agressif et vous affronterez alors un problème bien plus grave, celui du chien adulte qui mord.

Le chien s'échappe de la maison

C'est un problème de vie ou de mort pour l'animal. S'il quitte la maison pour aller dans la rue, il risque d'être écrasé par une voiture, et alors plus de chien... La plupart des gens qui ont un chien ont connu ou connaissent ce problème. Même si le chien a suivi un quelconque cours fondamental d'obéissance et a appris l'ordre « Assis, reste là », il essaiera cependant de sortir pour peu qu'il en ait l'occasion. Franchir la porte d'entrée représente pour lui quelque chose de joyeux. Par cette porte il va vers un pays de cocagne : il sort pour jouer, se soulager, voir des enfants et d'autres animaux. Mais à cause des dangers imminents qui le guettent, vous devez lui apprendre qu'il ne peut franchir cette porte qu'avec votre permission.

Pour l'empêcher de sortir, faites une mise en scène destinée à le corriger. Mettez-lui collier et laisse, tenez celle-ci à la main. Vous avez préalablement demandé à quelqu'un de sonner à la porte. Quand la sonnerie retentit, mettez le chien dans la position « Assis, reste là ». Dites à la personne qui a sonné d'entrer. La porte s'ouvre et doit rester ouverte. Quand le chien bondit vers la porte, corrigez-le énergiquement par la brusque traction du collier, criez « Non », retournez-vous et dirigez-vous dans la direction opposée. Ensuite remettez-le dans la position « Assis, reste là ». Naturellement il faut que le chien ait appris cet ordre. Toutes les fois que l'on sonne à la porte, mettez-le dans cette position. Recommencez plusieurs fois par jour, jusqu'à ce qu'il n'essaie plus de sortir. Cela peut prendre quelques jours, mais le résultat en vaut la peine.

Pour cet exercice, assurez-vous de bien maîtriser le chien. Peut-être, au début, n'obéira-t-il pas très bien et, si vous ne tenez pas la laisse fermement, s'échappera-t-il. Ne perdez pas votre

chien en voulant le dresser. Toutes les fois qu'il fait un mouvement vers la porte, corrigez-le vigoureusement par la traction
brusque du collier et dirigez-vous du côté opposé. Félicitez le
chien après chacune des corrections. Entretenez avec lui de
bonnes relations pour qu'il ne croie pas que vous le punissez.
Pour savoir dans quelle mesure il a assimilé ce dressage, mettez-
le dans la position « Assis, reste là », ouvrez la porte, et veillez à
ce qu'il garde sa position. Ne lâchez jamais la laisse. Une fois
que le chien réagit bien, vous irez vous-même à la porte quand
on sonnera et il vous y accompagnera. Vous lui donnerez alors
l'ordre « Assis, reste là » avant d'ouvrir la porte et il y a des
chances pour qu'il ne sorte plus.

Le chien vole de la nourriture
sur la table

Le vol de nourriture sur la table dressée pour le dîner ou dans la
cuisine ne passe pas pour un problème grave. Presque tous les
propriétaires de chien ont une anecdote à raconter à ce sujet.
C'est cependant une habitude irritante, et qui, vu le prix du faux-
filet et de l'entrecôte, peut coûter fort cher.

Ce problème rejoint celui des chiens qui mendient à table et
que nous avons déjà traité dans ce chapitre. D'abord, il ne faut
jamais donner au chien de la nourriture prise sur la table ou
dans le lieu où l'on prépare les repas. C'est une règle absolue
pour chacun des membres de votre famille. Ainsi, après un
certain temps, le chien ne s'attendra plus à recevoir une récompense quand il vous tourne autour. Ensuite, appâtez-le ; mettez-
lui collier et laisse et laissez-le aller où il veut dans la maison.
Placez sur une table une petite quantité de nourriture que l'on
vient de préparer ou d'un aliment qui lui plaît beaucoup, éloi-
gnez-vous et attendez. Quand le chien va s'en emparer, et il le
fera sûrement, saisissez la laisse et corrigez-le énergiquement par
une traction brusque du collier en criant « Non ». Recommencez
plusieurs fois jusqu'à ce qu'il n'essaie plus de voler de la
nourriture.

On peut aussi se servir efficacement de la boîte (voir chapitre 2). Dans le cas d'un jeune chien ou d'un chiot, criez « Non »
et agitez vigoureusement la boîte. Pour un chien plus âgé, criez
« Non » et jetez la boîte par terre (et non sur lui). Ce genre de
correction le surprend et contribue à lui faire perdre cette
mauvaise habitude.

Le chien vous répond
par des aboiements

Un chien peut être assez subtil pour répondre par des aboiements
à un ordre que vous lui donnez. Cela est surtout vrai des chiots.
Beaucoup de gens s'en amusent comme d'un tour ingénieux
auquel le chien aurait été dressé. En réalité, cela est trop souvent
un signe de défiance et de mauvaise volonté à obéir. L'expérience a montré que cette habitude conduit à l'agressivité ; dans
certains cas, le chien devient un tyran. En général, quand on
donne un ordre à un chien, on a de bonnes raisons et il ne doit
ni désobéir, ni faire semblant de ne pas avoir compris, ni
protester. Bien que cela paraisse antidémocratique, c'est la seule
relation rationnelle entre un chien et son maître. Cette relation
est d'essence purement féodale. Le chien dépend entièrement de
son maître pour tout ce qui touche à son bien-être. Très souvent
un ordre est donné dans l'intérêt même du chien. Celui-ci doit
donc obéir ; répondre par des aboiements est un signe de
désobéissance.

Si votre chien aboie ou hurle après que vous lui avez donné
un ordre vous devez le corriger. La correction par la traction
brusque du collier accompagnée d'un « Non » catégorique mettra
fin à ce comportement. Tout de suite après la correction,
n'oubliez pas de le féliciter.

14

PROBLÈMES PARTICULIERS
AU CHIEN ADULTE

Le chien a peur de voyager
en voiture

Beaucoup de chiens ont peur d'aller en voiture et s'échappent
dès que l'on ouvre la portière. Une fois qu'on les a fait entrer de
force dans la voiture, ils geignent, aboient ou hurlent pour qu'on
les laisse sortir. Pourquoi cela ? Peut-être l'animal a-t-il quelque
mauvais souvenir, ou bien se sent-il pris au piège, ou bien
simplement n'est-il pas encore habitué à cette sensation nouvelle
et insolite. Une voiture a peut-être traumatisé votre chien à votre
insu. De nombreux chiens meurent de chaleur. Cela arrive
généralement quand un maître, qui ne sait pas qu'un chien a une
très petite capacité respiratoire, enferme l'animal dans la voiture
et va faire ses achats. Même quand la température est douce et
que les vitres sont légèrement baissées, le soleil transforme vite la
voiture en four. Le chien souffre de la chaleur intense et du
manque d'oxygène qui en résulte ; il prend peur quand il constate qu'il ne peut pas sortir. Finalement il se met à griffer,
déchirer, et même à se précipiter contre les vitres en voulant
sortir ; souvent il en meurt. Peut-être le maître arrive-t-il au
début de ce drame qui se déroule à son insu, et sauve le chien.
Après une expérience de ce genre, il est presque impossible
d'obtenir qu'un chien entre à nouveau dans une voiture et le
maître n'en comprend pas la raison. Les vitres d'une voiture
doivent toujours être suffisamment baissées quand on y laisse un
chien. La chaleur n'est qu'une des causes de traumatisme pour
un chien enfermé dans une voiture ; retour de flamme, chiens en
rut, taquineries d'enfants, vapeurs d'essence en sont d'autres.

Il faut de la patience. D'abord représentez-lui une promenade en voiture comme quelque chose d'agréable. Faites-en un jeu. Mettez-le de joyeuse humeur en disant par exemple : « Qui veut aller se promener en voiture ? Allons dans la voiture, mon vieux. » S'il ne vous suit pas, cajolez-le avec des paroles pleines de douceur. Ouvrez les portières des deux côtés, et laissez-lui visiter l'intérieur, avant de mettre le moteur en marche. Qu'il renifle et quitte la voiture s'il veut. Ne le forcez pas à rester. Qu'il ne se sente pas pris au piège. Un animal enfermé prend tout de suite peur et se comporte d'une façon irrationnelle. Une fois qu'il s'est assis, fermez doucement les portes et démarrez. Arrêtez-vous au prochain coin de rue, et laissez-le sortir. S'il revient, allez alors jusqu'au coin suivant. S'il refuse de rentrer dans la voiture, vous recommencerez le lendemain. Persistez jusqu'à ce que le chien soit assez détendu pour faire plusieurs kilomètres. Il est utile de le caresser, de le féliciter, de rester quelques minutes assis avec lui à l'arrière de la voiture ; vous le rassurez ainsi en lui faisant comprendre qu'il ne va rien arriver de désagréable. Faites cela trois ou quatre fois par jour pendant quelques jours, et le problème sera résolu.

Le chien a le mal de la route

Il n'y a qu'un seul symptôme indéniable du mal de la route, c'est quand le chien vomit et fait ses besoins partout dans la voiture. Les multiples arrêts dus aux embarras de la circulation lui donnent la nausée. Il est bon de ne lui donner ni à boire ni à manger immédiatement avant de l'emmener en voiture ; il ne faut pas non plus qu'il s'excite trop avant un déplacement. Courir çà et là pourrait lui causer les sensations physiques désagréables du mal de la route.

S'il éprouve une appréhension pour la voiture, il va être sujet à des émotions intenses qui le prédisposeront au mal de la route. Il est souhaitable de l'accoutumer petit à petit. Ouvrez la portière et laissez-le entrer de son propre gré. Qu'il renifle l'intérieur et sorte par l'autre portière s'il veut. Qu'il reste assis dans la voiture pendant quelques minutes avant le départ. Qu'il revendique la voiture comme faisant partie de son territoire avant que vous ne démarriez. Les animaux prennent peur s'ils se sentent enfermés et que la situation ne leur est pas familière. Quand enfin vous décidez d'emmener votre chien pour sa première promenade en voiture, faites-le asseoir sur le siège arrière, et du siège avant, vous le tenez par la laisse. Allez jusqu'au premier coin de rue et arrêtez-vous. Sortez pendant une ou deux minutes, puis recommencez. Continuez ainsi jusqu'à ce que vous vous rendiez compte que le chien est assez détendu pour ne plus avoir besoin de s'arrêter.

Il est utile aussi de persuader le chien qu'aller en voiture est amusant. Immédiatement avant d'entrer dans le véhicule, établissez de bons rapports, joyeux et enthousiastes, entre le chien et vous. « Tu veux aller en voiture ? Viens, mon vieux, prenons la voiture. » Ce genre de sollicitation est efficace ; elle tend à changer l'attitude du chien devant la voiture. Un chien qui n'est pas bouleversé du point affectif, a beaucoup moins de chance d'avoir le mal de la route.

D'autre part, vous ne voulez pas que votre chien soit ingouvernable. Restez complètement maître de la laisse pour qu'il ne se mette pas à bondir dans la voiture. Donnez-lui l'ordre « Assis » et corrigez-le s'il ne fait pas ce qu'il doit. Si vous lui donnez les ordres « Couché » et « Reste là » avant de démarrer, vous vous en trouverez bien. Il faut obtenir qu'il reste sagement à l'arrière comme un voyageur tranquille. Quelquefois il suffit de baisser la vitre d'une dizaine de centimètres pour qu'il soit content. Il se sent moins enfermé, il jouit de l'air frais et du paysage. Mais il n'est pas bon de lui laisser passer la tête par la portière quand la voiture roule, cela peut lui donner de l'irritation aux yeux.

Le chien donne la chasse aux voitures

Quand le chien donne la chasse à une voiture, il court des dangers et en fait courir aux occupants de la voiture. Penser que le chien pourrait passer sous les roues du véhicule en marche est horrible, mais ce serait bien pire si la voiture s'écrasait contre un poteau ou un arbre, en voulant éviter l'animal dans son tort. Dans certains cas, des conducteurs surpris par un chien, ont été victimes d'une collision avec un autre véhicule. C'est pourquoi on doit s'occuper très sérieusement des chiens qui ont cette mauvaise habitude.

Ce comportement du chien vient peut-être de son instinct de chasseur. A l'état sauvage, le chien (ou le loup) doit courir plus vite que sa proie s'il veut manger. Cet instinct apparaît nettement dans les courses de lévriers où l'appât est un lapin mécanique. Il se peut aussi que le chien ait quelque mauvais souvenir associé à une voiture en marche ; soit qu'il ait été effrayé par un retour de flamme ou par quelque objet lancé sur lui d'une portière, soit qu'il ait échappé de justesse aux roues d'un véhicule. Bruits de moteurs, gaz d'échappement... ont pu créer cette réaction anormale aux voitures en marche. C'est ici un des rares cas où la solution du problème ne se trouve guère facilitée par la connaissance des causes.

Il faut faire comprendre au chien que vous n'aimez pas qu'il poursuive les voitures et que ses efforts ne lui vaudront rien d'agréable. A la prochaine occasion, servez-vous du collier et de la laisse. Laissez-le aller jusqu'au bout de la laisse quand il court vers un véhicule en marche. Puis tirez de toutes vos forces de façon à le soulever de terre. Au moment où il arrive au bout de la laisse, criez « Non », puis félicitez-le. Si cela n'a pas d'effet, prenez une longue corde et utilisez-la de la même manière. Choisissez une corde solide et mettez-la double pour qu'elle ne casse pas. Plus il y a de longueur, plus fort est l'impact quand le chien arrive au bout. Vous ne pouvez pas hésiter, vous devez tirer très fort. Il est certain que le chien en souffre, mais sans cela il risque de se faire écraser par une voiture en marche.

Le chien lubrique

Les chiennes adultes sont en chaleur deux fois par an pendant quinze jours chaque fois ; le reste du temps, elles n'ont pas ou presque pas de problème d'ordre sexuel. Mais les mâles adultes peuvent être excités sexuellement à n'importe quel moment, selon le degré de leur frustration et l'énergie qu'ils ont en réserve. Si un chien adulte n'a jamais été apparié et prend peu d'exercice, il y a des chances pour qu'il monte la jambe d'un enfant ou d'un adulte toutes les fois qu'il est excité. S'il est constamment séparé des femelles, il est probable qu'il éprouve pour les humains un attachement de caractère sexuel. Cette habitude est embarrassante et, de plus, un chien de grande taille peut traumatiser un enfant du point de vue mental comme du point de vue physique. Cependant cela ne se produit pas très souvent. La plupart du temps, un chien qui souffre de frustration sexuelle vient se frotter contre les jambes de son maître ou de quelqu'un d'autre, en simulant le coït.

Il faut intervenir sans tarder. Apparier le chien est une solution. On peut aussi lui faire prendre beaucoup d'exercice chaque jour pour qu'il dépense son énergie sexuelle. Cela est efficace. Mais, à la fin, si tout a échoué, il faut corriger le chien.

Mettez-lui collier et laisse et attendez. Dès qu'il essaie, corrigez-le énergiquement par une traction brusque du collier en disant « Non » d'une voix ferme. Que la correction soit dure et immédiate. Si l'on attend pour le corriger qu'il soit très absorbé par son activité, il risque de mordre quand on essaie de l'interrompre. Il vaut mieux l'arrêter dès que possible. On peut aussi avoir recours à la boîte (voir chapitre 2) que l'on agite fortement. C'est un des rares cas où nous recommandons les coups de genou dans le poitrail du chien, pour le renverser. Quelle que soit la méthode adoptée, il faut lui montrer nettement, dès que possible, que ce comportement est tout à fait inacceptable.

Le chien renifle sous les jupes

Même sans trop de détails, il est bien clair que la situation est embarrassante, irritante et indésirable. Il n'est guère utile de rechercher les causes de cette habitude, il faut surtout en débarrasser le chien.

Une fois de plus, servez-vous du collier coulissant et de la laisse. Quand le chien commence à s'adonner à sa mauvaise habitude, saisissez la laisse et corrigez-le énergiquement par la traction brusque du collier en disant « Non » d'une voix forte. S'il s'agit d'un chien petit et frêle, agitez la boîte (voir chapitre 2) avec vigueur et dites « Non » d'un ton sévère. Il importe de faire comprendre au chien que vous êtes mécontent toutes les fois qu'il se conduit mal.

15

CHIENS À PROBLÈMES

Ces problèmes se posent après que le chien a atteint l'âge adulte. Ils sont si difficiles à résoudre que nous vous recommandons de faire appel à un dresseur professionnel. Nous pouvons ici clarifier les problèmes, vous serez ainsi à même de les reconnaître et de ne pas les laisser s'aggraver, ce qui les rendrait plus difficiles à résoudre.

Le chien qui mord

Un chien qui mord est un chien à qui on a permis de le faire. A l'origine, il peut s'agir d'une tendance à grogner que l'on a négligée ou d'une agressivité exagérée que l'on n'a pas réprimée. Si vous battez souvent un chien, il finira par vous mordre. A l'exception des chiens souffrant de maladies congénitales, aucun chiot n'est jamais né avec le désir pervers de mordre. Pourquoi le chiot qui vous léchait le visage lorsqu'il avait sept semaines, se met-il à mordre ou même à tuer un ou deux ans plus tard ? Généralement c'est qu'on l'a battu pour l'habituer à se soulager sur des journaux, qu'on lui a mis le nez dans ses ordures, qu'on lui a donné des coups de pied, qu'on a lancé des objets sur lui, qu'on l'a grondé, l'index tendu, qu'on l'a battu avec un journal roulé. S'il a été puni tous les jours de sa vie de chien, comme c'est parfois le cas, il devient alors la terreur du voisinage. Le chien s'est trouvé dans une impasse, et le seul moyen d'en sortir a été de mordre — généralement les mains qui lui donnaient à manger. Si vous frappez avec les mains, il va vous mordre les mains.

Il est parfois dangereux de corriger ce genre de chien par une traction brusque du collier. Il risque de réagir en vous mordant. Il mordra surtout s'il sait qu'il peut le faire impunément. Vous ne pouvez guère que le tenir enfermé et rechercher les services d'un dresseur professionnel ; sinon nous vous recommandons de souscrire une bonne police d'assurance garantissant votre responsabilité civile.

Le chien qui mord par peur

Ce cas est différent du précédent. Nous venons de traiter du chien agressif qui n'a peur de rien. Le chien qui mord par peur, au contraire, a subi les mêmes punitions et mauvais traitements que l'autre, mais a eu des réactions tout à fait opposées. Il a peur. Si vous lui tenez tête, il recule jusqu'à ce que vous lui tourniez le dos, et alors il vous mord le mollet, le derrière, la main ou le bras. Un chien peureux est très agressif quand il est en laisse, mais quand on le libère il tremble et s'enfuit. Sa forfanterie lui vient du sentiment de sécurité qu'il puise dans la présence de son maître, et il aboie d'un air menaçant quand un inconnu vient à la maison. Si vous criez et lui tenez tête de quelque façon il s'enfuit. Dès que vous avez le dos tourné, il vous attaque. Ce genre de chien mord aussi s'il est acculé sous une table ou une chaise. S'il sent qu'il n'a pas d'issue, il devient agressif.

Ces difficultés peuvent avoir pour cause un mauvais dressage associé à des mauvais traitements. Ici encore vous ne pouvez rien sans l'aide d'un expert. Les techniques de dressage pour ces divers problèmes sont complexes et difficiles et exigent un manipulateur qualifié.

Le chien qui fait entendre des grognements sourds

Un grognement est un bruit menaçant qui vient du fond de la gueule du chien ; il faut le considérer comme un avertissement, cesser vos activités du moment et ne pas vous approcher davantage. Un chien qui pousse des grognements est souvent un chien battu ou corrigé avec excès dans son jeune âge. En se servant des mains pour punir (coups, tapes, index tendu, etc.), on incite le chien à faire entendre des grognements.

Ces grognements peuvent indiquer que le chien est prêt à

attaquer son maître. Un chien n'attaque jamais son maître s'il n'a pas été maltraité de quelque façon, et cela est vrai des dobermans et des bergers. Trop souvent, on ne connaît pas le fond de l'histoire quand on entend parler d'un doberman qui s'est retourné contre son maître. Après avoir pris un chiot, les maîtres, par ignorance ou frustration, lui donnent des tapes à chaque incartade. Après dix ou douze semaines de ce traitement, un réflexe conditionné se crée dans le cerveau du chien qui se met à tressaillir à chacun de vos mouvements brusques. L'animal grandit dans la peur et finalement réagit en attaquant.

Si un chien a grandi avec l'idée que la main de l'homme est un instrument fait pour punir, il pousse des grognements dès qu'une main s'approche de lui. Certains chiens grognent si vous leur retirez un objet de la gueule ou si vous essayez de les caresser.

Un chien grogne aussi quand il a été gâté sans jamais avoir été corrigé (de la façon qui convient, bien sûr). S'il s'en tire impunément quand il se conduit mal, il est probable qu'il se mettra à grogner quand vous essayerez enfin de le discipliner. De son point de vue, c'est le maître qui se retourne contre lui, et le chien grogne pour exprimer sa colère ou pour se défendre. Si, en se conduisant ainsi, il obtient ce qu'il veut, il continue et devient un tyran.

S'il est encore jeune, on peut le corriger par la traction brusque du collier et un « Non » dit d'une voix sévère. Avec un chien adulte ce n'est pas si simple. Il est important de comprendre la cause de ces grognements. Si vous en êtes responsable de quelque façon, le punir ne ferait qu'aggraver la situation. En fait, vous vous feriez probablement mordre. Si cela dure depuis un ou deux ans et que vous êtes terrorisé par le chien, vous avez le choix entre faire appel à un dresseur professionnel ou vous débarrasser de l'animal.

Le chien qui se bat avec d'autres chiens

En général les mâles se battent entre eux. C'est parfois si désagréable pour le maître qu'il en oublie les joies que lui procure son chien. Pour ceux qui vivent en ville, le problème est particulièrement irritant à cause du grand nombre de chiens. Vous en arrivez à ne pas promener votre chien ou à ne pas le laisser jouer dans le parc, par crainte d'une rencontre avec un de ses semblables, ce qui vous ferait assister à une bataille de plus. Votre chien s'est peut-être mis à se battre parce qu'il a été attaqué par un autre, quand il était petit ; dans ce cas il n'aimera jamais les autres mâles. Au mieux, vous pouvez espérer le maîtriser quand il se trouve dans le voisinage d'autres chiens. Un chiot qui a pu, en jouant, s'attaquer à un chien plus gros, risque de devenir bagarreur en grandissant. Il se peut que le gros chien tolère son jeu et que tout le monde trouve le chiot astucieux, mais s'il prend l'habitude de défier un autre chien, il risque de le faire constamment.

Si votre chien se trouve engagé dans une bataille, il y a deux moyens de l'arrêter. (Ne mettez jamais cependant la main à portée de sa gueule. Dans la chaleur de l'action un chien ne sait pas qui il mord.) S'il est en laisse, faites demi-tour et dirigez-vous dans la direction opposée en tirant très fortement sur la laisse. S'il ne s'agit pas d'un bichon et si, d'autre part, il n'est pas trop gros, soulevez-le du sol en vous servant de la laisse. S'il est en train de s'étouffer, il ne peut pas faire grand-chose. Si le chien est sans laisse, tirez-le par la queue, à condition toutefois que le chien ne soit pas trop gros. S'il a la queue courte, soulevez-le par les pattes de derrière. La correction par la traction brusque du collier doit être aussi efficace que possible. Maintenez le collier haut sur le cou pour que le chien sente l'impact de la traction. Quand il est sur le point de se battre contre un autre chien, exécutez une traction brusque du collier très énergique. Si le collier est bas sur le cou, le chien sent à peine la correction. Quand tout a échoué, faites appel à un dresseur professionnel.

Le chien inquiet

Le chien inquiet ne réagit pas aux situations courantes comme la moyenne des chiens. S'il s'énerve il se met à uriner. Il a peur de la circulation, peur de sortir, peur des inconnus et peur des autres chiens. Ces chiens nerveux proviennent souvent d'élevages commerciaux qui laissent à désirer. Certaines situations dues au milieu peuvent aussi causer de tels comportements. Ainsi le chien qui a eu successivement plusieurs maîtres (chacun de ceux-ci ayant sa façon à lui de donner les ordres) risque de devenir inquiet. La confusion fait naître un sentiment d'insécurité et une inaptitude à contenter le maître du moment. Très souvent le chien acquiert les tendances désordonnées de son maître. Parfois un chien inquiet ou névrosé appartient à un maître inquiet ou névrosé. Un traumatisme comme un retour de flamme d'une voiture ou une détonation de fusil rend un chien inquiet. Si l'on n'a pas fait sortir un chien pendant les six premiers mois de sa vie, une première expérience malheureuse peut l'effrayer gravement. Un chien que l'on dorlote trop, risque de s'enfuir en voyant un inconnu. C'est souvent le cas des bichons. Dès que l'animal n'est plus sous l'aile de sa « mémère », il se met à trembler, à geindre et à uriner sur le parquet. Un chien peut ressentir péniblement l'arrivée d'un enfant dans « sa » maison et devenir inquiet. Un chien qui attend tout de son maître, peut être bouleversé quand un enfant vient changer les habitudes de sa vie de chien.

Ce n'est pas amusant d'avoir un chien inquiet. On perd la plus grande partie du plaisir que l'on est en droit d'attendre de l'animal. On peut résoudre certains de ces problèmes en traitant un chien comme un chien plutôt que comme un être humain ; ce qui ne veut pas dire s'occuper moins de lui, mais le faire différemment. Laissez sortir le chien fréquemment pour se promener et rencontrer d'autres chiens. Ne le cloîtrez pas trop comme s'il s'agissait d'un nouveau-né. En toute occasion, pensez qu'un chien ne remplace pas un enfant. Dans la plupart des cas, les maîtres de chiens inquiets devraient consulter un dresseur professionnel.

Hyper-agressivité

Un chien trop agressif n'est pas simplement un animal exubérant et folâtre. Il a la particularité de savoir montrer aux enfants, aux adultes et aux autres chiens qu'il ne les aime pas. Un chien trop agressif s'élance, chasse, pousse, grogne, aboie, se bat, mord même pour s'affirmer. Tout comportement négatif, anormal, entre dans cette catégorie. Rien ne sert d'en chercher les raisons. Dire que le chien se comporte parfaitement sauf quand on s'en approche trop ou alléguer d'autres excuses de ce genre, c'est se préparer beaucoup d'ennuis.

S'il s'agissait d'un chiot, la correction par la traction brusque du collier, accompagnée d'un « Non » catégorique supprimerait n'importe laquelle des tendances énumérées ci-dessus. N'ayant pas été corrigé lorsque le sujet était jeune, ce comportement symptomatique de l'hyper-agressivité est difficile à éliminer. Ce comportement anormal a un grand nombre de causes ; toutes ne sont pas connues. En général, le maître n'a pas les moyens de s'attaquer à ce problème. Changez le chien de milieu est parfois le meilleur traitement qui soit. Mais on doit comprendre la nature du problème propre au chien pour opérer le changement voulu. Il faut s'adresser à un professionnel.

Le chien timoré

Le chien timoré est une variété du chien inquiet. Il peut être le produit d'un élevage commercial qui laisse à désirer, ou il peut s'agir du petit dernier d'une portée qui a été le souffre-douleur des autres. On ne sait pas toujours ce qui rend un chien timoré. Mais de toutes façons, on doit lui prodiguer *des soins affectueux et tendres*. Si presque tout l'effraie, il faut beaucoup de patience pour s'occuper de l'animal. On ne doit pas se montrer trop exigeant. Il faut lui manifester beaucoup d'amour et d'affection. Nombreux sont les chiens timorés qui ont été sensibles à l'affection et à la gentillesse. Il faut résoudre ce problème, car un chien timoré peut devenir un chien inquiet et la peur peut le pousser à mordre. Consultez un dresseur professionnel.

3e Partie

LES RACES

Dictionnaire du Dressage*

* Dans la 3e partie de cet ouvrage, la majuscule a été adoptée pour les noms de chiens, quand ils désignent une variété particulière de race. (N. D. E.)

Si vous venez de faire l'acquisition d'un chien ou êtes sur le point de la faire, cette section vous sera d'un grand secours. Les problèmes de dressage spécifiques aux races particulières y sont passés en revue. Il est évident que le Berger allemand ne pose pas les mêmes problèmes que le Caniche bichon. C'est précisément de ces différences que traite cette partie du livre.

Elle est divisée en six chapitres correspondant aux six groupes de races tels qu'ils sont définis par l'American Kennel Club. Ce sont : les chiens d'arrêt, les chiens courants, les chiens d'utilité, les terriers, les bichons, et les chiens d'agrément. Pour chacun de ces groupes, les races sont classées par ordre alphabétique et nous donnons autant de détails que possible pour chacune d'elle. Cette troisième partie est un dictionnaire des problèmes de dressage particuliers à chacune des soixante-six races qui y figurent.

Pour chaque race vous trouverez ses points positifs, ses points négatifs ainsi que les problèmes de dressage particuliers à l'animal adulte. Nous sommes fondés à considérer que, pour les chiots, tous les problèmes et leurs solutions s'appliquent à n'importe quelle race. Cette documentation vous permettra de savoir ce que vous devez attendre du chien que vous avez choisi. Il est important de connaître les raisons de votre préférence pour une race plutôt qu'une autre. Certains veulent un chien capable de les protéger ; d'autres veulent un ami pour toute la famille ou un cadeau destiné à des enfants ou à un couple âgé ou bien un compagnon de solitude. Avoir des détails sur chaque race et savoir ce que vous-même attendez d'un chien facilitera votre choix. Ceux qui ont déjà introduit un chien dans leur foyer, sauront, après avoir lu cette troisième partie, ce à quoi ils doivent s'attendre.

Le dictionnaire de dressage qui suit se fonde sur des données obtenues sur le tas. C'est une synthèse de l'expérience personnelle que le coauteur Matthew Margolis a acquise en sa qualité de moniteur-propriétaire de l'Institut national de dressage de chiens. Il a dressé beaucoup plus de cinq mille chiens appartenant aux différentes races mentionnées ici. Ne figurent pas les races pour lesquelles il n'a pas eu une expérience suffisante. Les chiens qu'il a dressés sont de provenances les plus variées. Beaucoup sont des chiens de grand prix nés dans les chenils les plus distingués. D'autres viennent de magasins, d'institutions spécialisées dans l'adoption, de la Société protectrice des animaux, de chenils privés, de chenils commerciaux ou même sont nés chez des particuliers. Il va de soi que tous les individus d'une même race ne sont pas absolument pareils. Mais celui qui dresse des centaines de chiens d'une race donnée, arrive à percevoir certains traits constants du comportement. C'est sur ces traits que se fondent les jugements de M. Margolis.

Sans vouloir valoriser une race aux dépens d'une autre, il est compréhensible que certaines races se prêtent mieux au dressage que d'autres ; certaines veulent surtout faire plaisir, d'autres sont plus indépendantes. M. Margolis a essayé de donner une juste appréciation du tempérament de chaque chien. Elle vient entièrement de son expérience personnelle et peut se trouver en contradiction avec les observations légitimes de particuliers, propriétaires de chiens. Un chien peut être issu d'une lignée supérieure, ce qui peut expliquer une contradiction éventuelle. Le contraire est également vrai. Certains chiens sont les piètres résultats d'un excès de consanguinité, même s'ils appartiennent à une race au bon tempérament. Les appréciations qui figurent ici, s'appuient sur l'expérience de nombreux chiens de chaque race. Nous pensons pouvoir aider ainsi celui qui veut avoir un chien, à se faire une idée de ce qu'il peut attendre de la race qu'il a choisie.

Les chiens, comme les gens, diffèrent par la personnalité et le comportement. Il se trouve pour chaque personne un chien qui lui correspond, par la personnalité, les besoins et les désirs. Ce qu'une personne considère comme un point négatif chez un chien peut très bien être tenu pour un point positif par une autre. En parcourant ce dictionnaire, ne vous détournez pas d'une race qui présente un grand nombre de points négatifs. Ce sont précisément ces traits qui vous feront peut-être aimer un chien et vous procureront ainsi quinze années de joies et de satisfactions. Tous les chiens sont bons jusqu'à preuve du contraire.

LES CHIENS D'ARRÊT

Le Braque allemand à poil court

Points positifs. Les chiens de cette race sont très aimables et capables de donner une chaleureuse affection. Ils sont sociables et exceptionnellement bons pour les enfants. De tels chiens robustes conviennent très bien à la campagne, ils ont une grande envie de courir et ont besoin de beaucoup d'exercice. Elevés à la campagne, avec la possibilité de prendre l'exercice qu'il leur faut, ils réagissent très bien au dressage. Ce sont d'excellents compagnons.

Points négatifs. Les Braques allemands à poil court sont très nerveux. Ce sont des chiens inquiets, impressionnables. S'ils ne prennent pas suffisamment d'exercice chaque jour, il est difficile de les garder dans un appartement. Leur envie de sauter, jointe à une accumulation d'énergie contenue, a pour résultat le chaos le plus complet. Ils sautent sur les meubles, sur les gens, volent la nourriture sur la table, fouillent dans les poubelles, lacèrent n'importe quel objet, qu'il soit fixé ou non.
  Ce sont des chiens têtus, à la volonté tenace. Si le maître n'est pas très strict, sa bête lui causera continuellement des ennuis. Un maître qui gâte son chien, s'en repentira pendant toute la vie de l'animal. Ces chiens doivent être dressés dès que possible. Si l'on attend un an, ce qui est habituel, pour commencer le dressage, cela risque d'être trop tard. C'est après le troisième mois qu'un dressage strict devrait commencer.

Problèmes particuliers de dressage. Employez un bon collier coulissant solide et une laisse de 1,80 m. Quand vous exécutez la traction brusque du collier, assurez-vous que la laisse ne se prenne pas dans les longues oreilles pendantes ; cela pourrait faire mal au chien et le rendre agressif.

Etant des chiens de chasse, ils ne sont pas aussi attentifs que les chiens des autres races. Ils sont toujours en train d'exercer leur odorat subtil et on doit les forcer à faire attention aux ordres donnés. Après que le chien a obéi à un ordre, attendez quatre secondes avant de le féliciter et faites-le sans trop d'effusion. Pour « Suis-moi », parlez-lui pour qu'il continue à vous donner son attention. Plus vous accaparerez son attention, plus il sera obéissant. On doit beaucoup exercer ces chiens pour leur faire obéir à l'ordre « Reste là ». Cet ordre ne leur convenant pas particulièrement, ils ne gardent la position que pendant un temps très court. Il faut être surtout vigilant en ville, où il y a tant de distractions et de dangers qui les menacent.

Ils ne doivent jamais circuler sans laisse en ville. « Viens ici » est l'ordre qu'ils ont le plus de difficulté à exécuter.

Comme ce sont des chiens de chasse, on doit obtenir d'eux une obéissance absolue. Plus ils sont dressés à obéir, plus ils sont dociles en ville. Pour qu'ils ne soient pas cause de désagrément à l'intérieur, le mieux est de leur donner un coin de la maison ou de l'appartement qui ne soit qu'à eux mais bien à eux. (Voir chapitre 12.)

Les chiens de chasse doivent être dressés à obéir plus énergiquement que ceux d'autres races, s'ils doivent vivre en famille dans une maison ou un appartement. Un dressage énergique, entrepris très tôt, vous permettra de jouir des nombreux bons côtés de cette race.

Le Braque de Weimar

Points positifs. La plupart de ceux qui possèdent un Braque de Weimar présentent une forte ambivalence. Ils sont très attachés à ce « fantôme gris », en dépit des nombreuses difficultés qu'il leur cause.

Les Braques de Weimar font d'excellents compagnons pour les enfants dont ils tolèrent les jeux brutaux. Ils supportent que les enfants leur tirent les oreilles, la queue, qu'ils se servent d'eux comme de poneys. Ils ont un grand besoin d'exercice, aiment beaucoup courir et, à la campagne, ils font plaisir à voir. Plus ils prennent d'exercice, plus ils sont faciles à vivre.

Ces chiens de chasse allemands sont robustes et vifs ; on peut en faire des chiens de garde. On peut les pousser sur ordre à grogner, aboyer ou mordre. Naturellement portés à protéger la famille dans laquelle ils vivent, ils s'accommodent très bien de ce rôle de gardien ; mais pour cela le dressage par un expert est indispensable. A cause de leur tempérament égal, on peut les dresser à mordre quelqu'un, et immédiatement après à lécher le visage de leur victime. Leur poil court nécessite très peu d'entretien et ne tombe pas.

Points négatifs. Les Braques de Weimar incarnent tous les traits défavorables des chiens de chasse. Ils sont entêtés, obstinés, et essaient toujours de se dispenser d'obéir. Ils s'enfuient s'ils en ont l'occasion. S'ils ne peuvent dépenser de l'énergie en prenant de l'exercice, ils sont capables de mettre à sac tout un appartement. Une fois qu'ils comprennent que leur maître n'a pas grande autorité, ils prennent de grandes libertés, et par exemple le tirent au bout de la laisse dans la rue. Ils font souvent cela avec des femmes. Les Braques de Weimar sont si aimables que les femmes peuvent difficilement s'empêcher de les choyer.

Ils se battent contre d'autres chiens. Ils ne conviennent pas aux personnes âgées. Il faut les mener d'une main forte et ferme, c'est la seule solution. Certains de ces chiens ont détruit à coups de dents pour des milliers de dollars de meubles et d'autres objets. Cette habitude mettra votre patience à rude épreuve et, sans une très grande patience, il est difficile de les dresser. Les échecs risquent d'être nombreux. Si vous ne voulez pas que votre chien vous rendre la vie malheureuse, vous devez l'obliger à obéir à force de patience et d'autorité.

Problèmes particuliers de dressage. Les longues oreilles se prennent dans le collier et la laisse ; faites attention en exécutant la traction brusque du collier. Ce point est délicat, car il faut corriger ces chiens énergiquement, pour qu'ils n'abusent pas de vous et ne transforment pas la moindre promenade en cauchemar. Il faut de l'autorité pour s'occuper d'eux. Ils essaient toujours de savoir jusqu'où peut aller la patience de leur maître, avant qu'il ne se décide à punir. Quand vous les corrigez par une énergique traction brusque du collier, soyez sans crainte s'ils geignent ou poussent des cris perçants comme ceux d'un bébé. Même si les passants vous regardent et croient que vous êtes en train de tuer votre chien, ne vous laissez pas duper par cette comédie. Il n'a pas mal. Continuez à le corriger énergiquement, surtout en lui apprenant l'ordre « Suis-moi ». « Assis, reste là » et « Couché, reste là » sont des ordres très utiles quand il y a lieu de les maîtriser, et c'est souvent le cas. Cinq secondes après qu'il a obéi, félicitez-le à mi-voix.

Ces chiens peuvent être de véritables fléaux, exigeant votre attention et votre affection même hors de propos. C'est alors que « Reste là » prend toute son utilité. On ne devrait jamais mener ces chiens en ville sans laisse. On ne peut pas du tout se fier à eux : ils donnent la chasse au premier animal qu'ils voient et peuvent ainsi avoir un accident grave.

Comme pour d'autres chiens de chasse, il est difficile de les dresser à se soulager à l'extérieur, on doit les surveiller attentivement et ce dressage doit commencer dès que possible. Pour qu'ils ne soient pas cause de désagréments, le mieux est de leur donner un endroit bien à eux dans l'appartement ou la maison. (Voir chapitre 12.)

Beaucoup de gens qui possèdent des Braques de Weimar se déclarent très heureux de les avoir. Les Braques de Weimar peuvent, à la rigueur, faire des chiens d'intérieur, à condition d'être dressés dès le plus jeune âge.

L'Epagneul Cocker

Points positifs. Ce sont des animaux robustes qui résistent bien aux corrections énergiques. Dressés de bonne heure, ils obéissent vite à n'importe quel ordre. Ils réagissent parfaitement à « Suis-moi » et se couchent presque instantanément après en avoir reçu l'ordre. Ils conviennent très bien aux enfants et s'accommodent sans difficulté de la vie en appartement. N'étant pas de très grande taille, ils n'ont pas besoin de beaucoup d'exercice. Ni trop actifs, ni trop turbulents, ils sont facilement menés même par des personnes âgées. Nous recommandons l'Epagneul Cocker à ceux qui veulent un chien de taille moyenne.

Points négatifs. L'excès de consanguinité a rendu agressifs beaucoup d'Epagneuls Cockers. De plus, si on les frappe, ils deviennent hostiles, se mettent à pousser des grognements sourds, à mordre et à se battre. Cela est dû à la consanguinité plutôt qu'à la race. Au XIIe siècle, l'histoire en fait foi, il y avait déjà des épagneuls en Angleterre et ils se sont répandus aux Etats-Unis. L'Epagneul Cocker est une variété de l'épagneul de terre et est le plus petit des épagneuls, ce qui explique la faveur dont il jouit aux Etats-Unis. C'est cette grande demande qui a entraîné l'excès de consanguinité, au détriment de la race. Avant d'en acheter un, il faut se montrer très prudent. Renseignez-vous sur son pedigree ; si possible, examinez les parents et essayez de vous faire une idée de leur tempérament, posez beaucoup de questions. Tout cela est nécessaire, car seul un sujet à l'hérédité favorable peut se dresser avec succès.

Problèmes particuliers de dressage. Les Epagneuls Cockers sont des chasseurs et posent les mêmes problèmes que les autres chiens de chasse. Lors d'une correction par la traction brusque du collier, évitez de leur pincer les oreilles avec le collier ou la laisse.

Si on ne les dresse pas bien dès leur jeune âge, ils seront méchants toute leur vie, ils sauteront sur les meubles et sur les gens, prendront de la nourriture sur votre table, etc... Si vous permettez au chiot de se tenir sur vos genoux, il finira par sauter sur les gens ; si vous le laissez dormir sur le lit, il sautera sur les meubles.

Quand vous donnez des ordres à ces chiens, assurez-vous qu'ils les exécutent ponctuellement. Si vous commencez à céder, ne vous attendez plus à ce qu'ils obéissent. Félicitez-les avec effusion deux secondes après qu'ils ont obéi à un ordre. « Va à ta place » est très utile dans le cas des Cockers parce qu'ils ont tendance à être désagréables ; cela vous permettra de les gouverner. « Couché, reste là » est aussi un ordre utile, qui rendra service en voiture, où, en général ils ne se comportent pas bien : énervés ou agités, ils sautent d'un siège à un autre ; arrêtez-les en leur ordonnant « Couché, reste là ».

Plus que pour les autres races, les coups reçus sont préjudiciables au comportement de ce chien qui devient méchant. En général, quand on lui apprend à se soulager à l'extérieur c'est alors que l'Epagneul Cocker devient agressif. On peut éviter la plupart des traits défavorables, en gardant son calme, sans battre ni terroriser l'animal en aucune façon.

Les Epagneuls Cockers sont des chasseurs et se trouvent donc plus à l'aise dans une grande propriété à la campagne. Cependant si vous voulez avoir un chien d'intérieur, il faut le dresser à obéir dès son plus jeune âge et ainsi vous vous entendrez très bien avec lui pendant toute sa vie.

L'Epagneul Springer anglais

Points positifs. Ce sont de bons chiens pour la ville et pour la campagne. Ils conviennent très bien aux enfants et aux personnes âgées. Ils s'accommodent bien d'un appartement, sont de compagnie facile, se dressent bien et s'adaptent aisément à la plupart des situations. Cette race au tempérament égal joint l'utile à l'agréable.

Points négatifs. Depuis ces derniers temps, les Epagneuls Springers sont sujets à de l'eczéma et autres irritations de la peau. Avant d'en acheter un, examinez de près son hérédité.

Problèmes particuliers de dressage. Comme à tous les chiens de chasse, il est difficile de leur apprendre à se soulager à l'extérieur. Il faut donc commencer ce dressage le plus tôt possible.

Attention aux longues oreilles, en exécutant la traction brusque du collier : vous risquez de les pincer avec le collier et la laisse. Félicitez votre chien avec effusion dès qu'il a obéi à un ordre.

Comme tous les chiens de chasse, l'Epagneul Springer se laisse facilement distraire par d'autres animaux. Soyez prêt à empêcher son inattention pendant tout le dressage, en particulier en lui apprenant l'ordre « Suis-moi ». Si vous surmontez les difficultés inhérentes à cet ordre, vous n'aurez aucun problème avec les autres. « Va à ta place » et « Couché, reste là » sont deux ordres importants pour cette race. Ces ordres vous permettent de mieux gouverner votre chien, et après les avoir appris, il lui sera plus facile de vous faire plaisir.

Un énergique dressage à l'obéissance vous permettra de jouir des nombreux agréments de cette race.

Le Golden Retriever

Points positifs. Les Golden Retrievers appartiennent à une race très sociable. Beaucoup les considèrent comme de parfaits compagnons, à cause de leur comportement aimable. Affectueux, chaleureux, ils conviennent très bien aux enfants. Ils ont besoin de très peu d'entretien et s'accommodent d'un appartement comme d'une maison. Cette race réagit très bien au dressage et obéit aux ordres très facilement, c'est pourquoi elle donne souvent des chiens d'aveugles.

Points négatifs. Ce sont des chiens de chasse ; aussi, de temps en temps, leur esprit s'égare et ils deviennent inattentifs. Parfois ils sont inquiets, mais cela peut provenir de la consanguinité ; à cet égard, il conviendrait, avant de choisir un chien, de se renseigner sur ses ascendants.

Bien qu'ils ne soient pas entêtés, ces chiens abusent de leur maître quand ils le peuvent. On doit leur dire ce qu'il faut faire et exiger qu'ils obéissent à chacun des ordres donnés.

Problèmes particuliers de dressage. Quand vous corrigez le chien par la brusque traction du collier, assurez-vous que la laisse ne se prenne pas dans ses longues oreilles pendantes. Cela pourrait lui faire mal et le rendre agressif. Félicitez-le, sans trop d'effusion, deux secondes après qu'il a obéi à un ordre. Pour presque tous les ordres fondamentaux, les Golden Retrievers, après avoir obéi, ont tendance à regagner petit à petit du terrain. C'est une infraction aux règles, et si on la néglige, ces chiens deviendront de moins en moins obéissants. Après leur avoir ordonné « Assis, reste là », assurez-vous qu'ils restent sans bouger pendant un petit moment. Quand vous leur dites « Suis-moi », ne les laissez pas vous dépasser. De même, soyez vigilant pour « Couché » et « Couché, reste là ». L'ordre « Viens ici » risque de poser un problème en ville. Rappelez-vous que vous avez à faire à des chasseurs ; sans laisse, cet ordre est dangereux en ville.

Pour les empêcher d'être désagréables, le mieux est de leur donner un coin bien à eux dans l'appartement ou la maison. (Voir chapitre 12.)

Généralement, les chiens de chasse ne sont pas faits pour la ville. Cependant, leur beauté et de nombreuses autres qualités les font rechercher par beaucoup de citadins. Dans ce cas, nous recommandons de leur faire suivre un cours de dressage intensif dès que possible.

Le Retriever du Labrador

Points positifs. Vu leur instinct aigu de chasseurs, on considère que ces chiens conviennent mieux à la campagne. Ils s'adaptent parfaitement à la vie de famille et sont très tolérants et patients avec les enfants. On les utilise de plus en plus comme chiens d'aveugles, ce qui témoigne de leur grande attitude à être dressés. Cette aptitude s'étend à toutes les sortes de dressage, y compris l'obéissance et la garde. Comme ils sont très sensibles à ce que leur maître fait pour eux, on peut les éduquer bien plus rapidement que les chiens de beaucoup d'autres races.

Ce sont des chiens particulièrement intelligents, bien doués sous le rapport de la longévité.

Points négatifs. Ces chiens doivent prendre beaucoup d'exercice, ce qui peut poser un problème s'ils vivent en appartement. Privés de la campagne, il leur faut à titre de compensation, prendre de l'exercice au moins deux ou trois fois par semaine. Comme tous les chiens de chasse, ils ne conviennent pas particulièrement aux personnes âgées. Ils ont trop d'énergie, et pour les mener, il faut beaucoup de force ainsi qu'une main solide et ferme.

Problèmes particuliers de dressage. Quand vous exécutez la traction brusque du collier, assurez-vous que la laisse ne se prenne pas dans les longues oreilles pendantes du chien. Cela pourrait lui faire mal et le rendre agressif. Veillez à ce que votre chien obéisse à tous les ordres à la première injonction, sans retard, sinon il abusera de vous et n'obéira que quand il en aura envie. Soyez exigeant pour obtenir obéissance. Félicitez-le avec effusion, immédiatement après qu'il a obéi à un ordre. Ne le laissez pas sans laisse en ville.

Le dressage à l'obéissance doit être entrepris dès le plus jeune âge pour éviter les ennuis particuliers qu'un Retriever du Labrador peut causer en appartement.

Généralement ces chiens ne sont pas agressifs, mais beaucoup le deviennent si leur maître les frappe avec la main ou un journal roulé. Il y a une limite au-delà de laquelle, aucun chien, même le plus doux, ne supporte d'être battu. Par sa race, le Retriever du Labrador est un des chiens les plus tolérants, et il le restera si on ne le maltraite pas physiquement. Pour l'empêcher d'être désagréable, le mieux est de lui donner un coin bien à lui dans l'appartement ou la maison. (Voir chapitre 12.)

Le Setter anglais

Points positifs. Les Setters anglais sont accommodants jusqu'à l'inertie. Contrairement à la plupart des autres races de chiens de chasse, ils conviennent parfaitement aux personnes âgées à cause de leur tempérament calme. Ces chiens sont merveilleux avec les enfants. Ils sont si doux que vous pouvez faire d'eux à peu près tout ce que vous voulez sans que jamais ils ne se plaignent ou ne se montrent agressifs.

Points négatifs. Ils sont très entêtés, volontaires et il est difficile de les habituer à se soulager à l'extérieur. Si on les laisse seuls dans la maison, ils risquent de tout lacérer à coups de dents. Mais leur entêtement est plutôt résistance qu'obstination ingouvernable. Au lieu de tirer sur la laisse, ils préfèrent ne pas aller se promener. Au lieu d'exécuter correctement l'ordre « Assis », ils se couchent. Quand on les appelle, ils viennent lentement, au lieu d'obéir immédiatement comme l'exige tout ordre donné.

Problèmes particuliers de dressage. Plus que pour les autres races, on doit apporter une grande application au dressage fondamental et à l'obéissance. Une plus grande patience et aussi une plus grande fermeté sont nécessaires. Félicitez votre chien avec effusion, immédiatement après qu'il a obéi à un ordre.

On doit exiger des Setters qu'ils obéissent à chacun des ordres donnés. Ainsi, si votre chien refuse d'obéir à « Suis-moi », vous pourrez aller jusqu'à vous accroupir et à l'appeler, en reculant un peu tandis qu'il vient vers vous, sans oublier, pendant tout ce temps, de le féliciter et de lui donner confiance. Cela fait avancer le chien et, de plus, lui donne l'occasion de se sentir à son aise. Avec cette race, le recours à la force n'apporte que déceptions.

« Couché » et « Couché, reste là » sont des ordres difficiles pour lui. Le chien résiste tenacement. Dans ce cas, les séances de dressage doivent être fragmentées en séances plus courtes, et réparties sur une plus longue période.

Ces chiens n'obéissent pas vite à « Viens ici ». Cela est le fait de la plupart des setters. Ils se cabrent si on les rudoie. Aussi faut-il les dresser quand ils sont encore des chiots insouciants, folâtres et pleins d'énergie. Pour les empêcher d'être désagréables, le mieux est de leur donner un coin bien à eux dans l'appartement ou la maison. (Voir chapitre 12.)

Les citadins qui entreprennent de dresser un chiot de cette race s'assurent de longues années de satisfaction.

Le Setter Gordon

Points positifs. Ce chien doux et sociable convient très bien aux enfants. Son besoin de courir et de prendre de l'exercice à l'air libre en fait le chien idéal pour la campagne. Pour le connaisseur comme pour l'amateur, ce chien est d'une élégance peu commune, d'un port presque royal. Cette race intelligente, au beau pelage noir et feu, respire la force et la dignité.

Points négatifs. Les Setters Gordon sont entêtés. Si on les voit rarement en ville, c'est qu'ils s'adaptent difficilement à la vie en immeuble. Ils se comportent comme s'ils appartenaient aux races de très grande taille et pour les mener il faut une main robuste et ferme.

Problèmes particuliers de dressage. Faites attention en exécutant la traction brusque du collier : les longues oreilles risquent de se prendre dans le collier coulissant et la laisse.

Pour les dresser à se soulager à l'extérieur, il faut commencer dès le plus jeune âge. Les Setters Gordon, comme la plupart des autres races de chiens de chasse, ont du mal à se soumettre à ce dressage. Si on les a habitués à se soulager sur des journaux, il ne faut pas ensuite les faire se soulager à l'extérieur. Il leur est difficile d'oublier ce qu'ils ont appris et de le remplacer par quelque chose de nouveau.

Pour les corriger, mieux vaut une traction énergique que cinq ou six petites tractions qui seraient inutiles. Plus vous multipliez ces tractions, plus ils se cabrent. Une seule traction vigoureuse, leur montrera que c'est vous qui commandez. Félicitez-les avec effusion immédiatement après qu'ils ont obéi.

En ville ces chiens doivent toujours être tenus en laisse. Comme les autres chiens de chasse, ils sont aisément distraits par les écureuils, les pigeons et les autres animaux et ils refusent d'obéir à l'ordre « Viens ici ». Même en laisse, ils n'obéissent pas très bien à cet ordre.

En appartement, les Setters Gordon posent d'irritants problèmes : ils lacèrent tout, sautent sur les meubles, fouillent dans la poubelle etc... C'est pourquoi il importe de commencer très tôt le dressage à l'obéissance. Au fur et à mesure que le temps passe, il est difficile de résoudre des problèmes qui ont pris naissance dans le jeune âge. Ne partagez jamais, ceci est important, vos repas avec votre chien : si vous le faisiez une seule fois, vous auriez par la suite, un invité de plus en permanence et il risquerait de se rendre fort désagréable. Pour éviter les inconvénients, le mieux est de lui donner un endroit bien à lui dans l'appartement ou la maison. (Voir chapitre 12.)

Si l'on préfère considérer le Setter Gordon comme un chien d'intérieur, plutôt que comme le chien de chasse qu'il est par décret de la nature, il faut absolument commencer le dressage de bonne heure ; à l'âge de trois mois, ce n'est pas trop tôt.

Le Setter irlandais

Points positifs. Par tempérament, ces chiens sont affectueux et tendres, doux et gentils. Excellents chasseurs, ils sont parfaitement adaptés aux maisons de campagne. Leur poil est d'un entretien facile, ils ont bon appétit et s'accommodent très bien de la vie de famille.

Points négatifs. Ce sont des chiens très entêtés. Leur forte volonté exige de la fermeté pour tout ce qui touche au dressage. Il importe de les corriger énergiquement quand ils négligent d'obéir, sinon ils n'en feraient qu'à leur tête. Ils ne conviennent évidemment pas aux personnes âgées. Vous devez commencer le dressage dès que possible, pour ne pas avoir à résoudre à l'âge adulte des problèmes qui ont pris naissance dans le jeune âge. Si ces chiens ne sont pas dressés dans les règles, ils risquent de mettre littéralement à sac tout un appartement. Ils commencent par faire leurs besoins au beau milieu d'un tapis persan et en arrivent à réduire en sciure des meubles de prix. Cependant, ils peuvent s'accommoder de la vie en appartement, si l'on commence à les dresser dès qu'ils arrivent chez leur maître.

Problèmes particuliers de dressage. Les Setters irlandais ont de très longues oreilles qui risquent de se prendre dans le collier et la laisse, quand on exécute la traction brusque pour les corriger ; soyez donc prudent. Après que votre chien a obéi, attendez trois ou quatre secondes, puis félicitez-le sans trop d'effusion.

Les Setters ne s'habituent pas facilement à se soulager à l'extérieur ; cette partie du dressage n'est pas de tout repos. A cet égard, tous les détails mentionnés au chapitre 3 doivent être observés minutieusement : régime, sorties, etc. On doit les surveiller de près jusqu'à ce qu'ils soient bien dressés sur ce point.

Votre « Non » ne les corrige efficacement que si vous l'associez à une vigoureuse traction brusque du collier coulissant. Pendant tout le temps du dressage, mieux vaut les corriger vigoureusement que souvent. Trop de corrections leur inspireraient une crainte morbide de la traction du collier. « Suis-moi », pose aussi un problème sérieux. Après vous avoir emboîté le pas, ils risquent brusquement de tirer sur la laisse pour aller jouer avec un autre chien. Ils ne fixent pas facilement leur attention et essaient d'obtenir ce qu'ils veulent par la force. Il faut être très strict pour qu'ils obéissent à « Suis-moi » ; toute désobéissance à cet ordre doit être sanctionnée par une traction brusque du collier.

Ne faites jamais sortir ces chiens sans laisse en ville. Il est arrivé à des Setters irlandais de s'échapper et de ne jamais plus revenir. La vie en ville restreint les possibilités de prendre de l'exercice dont ils ont grand besoin, et cette énergie qui ne peut se dépenser risque de devenir explosive. Pour leur éviter de causer des dégâts à l'intérieur, le mieux est de leur donner un endroit bien à eux dans l'appartement ou la maison. (Voir chapitre 12.)

Le Vizsla ou Setter hongrois

Points positifs. Ces chiens, originaires de Hongrie, conviennent très bien aux enfants. Ils sont de merveilleux chiens d'intérieur et vivent aussi très bien à la campagne. Ils s'accommodent bien de la vie en appartement. Les nourrir n'est jamais difficile, sauf en cas de maladie ; ils vivent de douze à quinze ans. Cette race à poil court exige peu d'entretien et ne perd pas trop ses poils. Doux et affectueux, le Vizsla se dresse bien, sans trop de recours aux corrections.

Points négatifs. Comme d'autres chiens de chasse, ils sont entêtés. Quelquefois, si leur élevage a laissé à désirer, la peur les fait uriner. Bien qu'ils soient de très bons chiens d'appartement, si le dressage ne commence pas très tôt, ils prennent l'habitude de tout lacérer et causent beaucoup de destructions. Un Vizsla, même dressé, pourra saccager ainsi tout un appartement, si on ne lui fait pas prendre de l'exercice régulièrement. C'est parce qu'il reste enfermé, qu'il se met à lacérer les objets. L'exercice, conjugué au dressage à l'obéissance, constitue le seul remède.

Problèmes particuliers de dressage. Il est très délicat de corriger les chiens de cette race par la traction brusque du collier. Leurs très longues oreilles se prennent dans le collier et la laisse, ce qui est très douloureux. Faites attention. Félicitez-les, sans trop d'effusion, quatre secondes après qu'ils ont obéi à un ordre donné.

Il est difficile d'apprendre aux Vizslas à se soulager à l'extérieur ; ne les habituez jamais à se soulager sur des journaux, si vous avez l'intention de les faire se soulager à l'extérieur par la suite. Il leur serait presque impossible de changer. Ne corrigez pas un chiot si, à l'intérieur, il se soulage ailleurs que sur les journaux. Forcez-le simplement à se contenter d'un espace restreint comme nous l'avons expliqué au chapitre 4.

Ce sont des animaux très vifs qui passent devant vous ou sautent sur vous quand vous leur apprenez à obéir à l'ordre « Suis-moi ». Insistez sur cet ordre et ne les laissez pas tirer sur la laisse. Ces chiens veulent être aimés, ils sont capables de faire de grands efforts pour vous contenter. Ils obéissent à une voix autoritaire. Il s'agit de savoir quand se montrer froid avec eux et quand, au contraire, leur manifester de l'affection pour les récompenser de leur obéissance.

Insistez sur les ordres « Assis, reste là » et « Couché, reste là ». Les Vizslas ont tendance à vouloir que tous les visiteurs s'occupent d'eux. Ils aiment aussi s'enfuir dès que la porte est ouverte. En insistant sur ces deux ordres, vous pourrez mieux les gouverner. « Va à ta place » est aussi un ordre important.

Les plaines de Hongrie constituent le milieu naturel de cette grande race de chiens de chasse. Pour garder un Vizsla comme chien d'intérieur, il faut commencer le dressage de très bonne heure.

LES CHIENS COURANTS

Le Barzoï ou Lévrier russe

Points positifs. Ce sont des chiens merveilleusement élégants. Fins et élancés, ils sont très rapides et fougueux. De nombreux citadins considèrent que la possession de ces chiens leur confère du prestige social et de la distinction. Les Barzoïs ont une allure royale ; on les achète pour leur beauté, peut-être par ostentation. Ces beaux chiens sont d'humeur facile, capables d'attendre des heures, sans bouger, devant un magasin de luxe. N'étant pas très remuants, ils font d'excellents chiens d'intérieur. Par leur origine, ce sont des chasseurs, aussi s'accommodent-ils très bien de la vie à la campagne.

Points négatifs. Ils ne conviennent pas particulièrement aux enfants, ils ne supportent pas d'être traités rudement. Animaux hautains, comme les chats, ils ne demandent ni ne donnent beaucoup d'affection. Les personnes qui ont des Barzoïs ont souvent ce même caractère.

Problèmes particuliers de dressage. Il est inutile de corriger votre chien trop sévèrement. Félicitez-le avec grande effusion quand il obéit à un ordre. De chaleureuses félicitations toutes les fois qu'il fait bien ont plus d'effet que de nombreuses corrections.

Manipulez la laisse avec douceur, car ce chien résiste aux corrections fréquentes. Montrez-lui ce qu'il faut faire et il le fera.

Le Basset, Basset Hound

Points positifs. Ils sont très bons avec les enfants et font d'excellents chiens d'intérieur. N'étant pas très remuants, ils ne courent pas de façon désordonnée dans toute la maison. On pourrait dire qu'ils manquent de vivacité. Leur comportement nonchalant et leur expression languissante font tout leur charme. Ils ont acquis du prestige depuis que les agences de publicité ont découvert qu'ils étaient amusants, et les ont montrés sur le petit écran pour promouvoir les ventes. Ce sont des chiens d'appartement par excellence. La durée de leur vie est normale (douze à quinze ans) et ils sont de tempérament doux. Ils se laissent dresser très facilement, même si le dressage n'a pas été commencé très tôt.

Points négatifs. Ils présentent très peu de traits défavorables. Il est parfois difficile de les habituer à se soulager à l'extérieur, mais on peut résoudre ce problème en commençant le dressage tôt. De nombreux bassets sont très difficiles quant à leur nourriture.

Problèmes particuliers de dressage. Faites attention aux longues oreilles pendantes, quand vous corrigez l'animal par une traction brusque du collier. Les oreilles se prennent parfois dans le collier coulissant et la laisse, ce qui est très douloureux. Dans quelques cas, l'emploi du collier coulissant n'est pas indiqué, cela dépend du tempérament du chien.

Pour l'ordre « Suis-moi », le chien ne peut pas facilement marcher aussi vite que vous. Les bassets vont beaucoup plus lentement que les chiens des autres races et ils ont de la peine à soutenir une vive allure. Ils mettent aussi plus de temps pour prendre la position « Assis ». Vous devez en tenir compte. Les ordres « Assis, reste là » et « Couché, reste là » leur conviennent bien. Peut-être est-ce parce qu'ils n'aiment pas à avoir à se lever très souvent.

Avec ces chiens, les félicitations et la tendresse sont plus efficaces que les corrections. Félicitez-les immédiatement et avec effusion quand ils obéissent à un ordre. Pour les corriger, les tractions brusques du collier doivent être légères et peu fréquentes. Vous obtiendrez de meilleurs résultats en leur parlant doucement et affectueusement qu'en leur imposant une discipline trop stricte. Les ordres « Couché » et « Viens ici » leur conviennent bien. Ces bêtes sont attachantes, et les séances de dressage très agréables. La plupart des dresseurs professionnels aiment travailler avec cette race.

Le Basset allemand, Dachshund Teckel
à poil ras, à poil long, à poil dur

Points positifs. Ces chiens sont parmi les animaux qui ont le caractère le plus égal. Ils conviennent très bien aux enfants et surtout aux personnes âgées. Les Bassets allemands, à quelque variété qu'ils appartiennent, s'accommodent parfaitement de la vie en appartement. Leurs habitudes pour ce qui est de la nourriture, ne posent aucun problème ; ils vivent longtemps. Ils ne nécessitent pas beaucoup d'entretien. Peu de gens résistent à leur air doux et folâtre.

Points négatifs. Les chiens de cette race, comme ceux de certaines autres, ont beaucoup de mal, s'ils ont été habitués à se soulager sur des journaux, à changer leur habitude pour apprendre à se soulager à l'extérieur. Si, au commencement, vous adoptez le papier journal, il ne faut pas changer de méthode. Si vous voulez que le chien adulte aille à l'extérieur, il faut alors lui donner cette habitude dès le début.

Problèmes particuliers de dressage. N'employez pas de collier coulissant. Ces chiens ont le cou délicat et l'on peut facilement leur faire mal. Un collier ordinaire en cuir fera l'affaire.

Si vous commencez le dressage dès que l'animal a trois mois, travaillez lentement. Il faut beaucoup le féliciter et lui témoigner de l'affection. Félicitez-le avec effusion et enthousiasme une seconde après qu'il a obéi. Ne lui dites pas « Non » trop souvent. Les chiens de petite taille s'effraient facilement, ce qui peut causer des complications de comportement qui ne tiennent pas à leur nature.

Faites preuve de patience en leur apprenant l'ordre « Assis ». A cause de la forme irrégulière de leur corps, ils mettent plus de temps à s'asseoir comme il faut. Ils prennent la position très lentement. Ils ont aussi du mal à exécuter l'ordre « Suis-moi » convenablement. Ils ont les pattes très courtes et se déplacent plus lentement que la moyenne des chiens. Ils ne peuvent pas suivre votre allure si celle-ci est trop rapide. Ils traînent derrière vous plus souvent qu'ils ne vous tirent en avant.

Soyez patients en leur apprenant les ordres « Couché » et « Couché, reste là ». Ils sont très désireux de faire plaisir, mais il leur faut plus de temps qu'à d'autres chiens pour obéir à un ordre nouveau. Ils ont besoin de beaucoup de félicitations. Ils obéissent mieux à « Viens ici » qu'à la plupart des ordres, à cause de leur grand désir d'affection. N'oubliez pas de beaucoup les féliciter quand ils obéissent.

Le Beagle

Points positifs. Les Beagles s'accommodent de la vie en appartement comme de la vie à la campagne. Ces gentils petits chiens qui ressemblent à des jouets en peluche conviennent très bien aux enfants. Ils mangent de bon appétit ; vivent de douze à quinze ans et leur poil court n'exige qu'un minimum d'entretien.

Points négatifs. Ayant affaire à une race entêtée, de nombreux maîtres ont recours à la force pour se faire obéir. Maltraités, ces chiens deviennent agressifs et méchants. Certains attaquent leur maître, mordent les enfants, poussent des grognements sourds et se battent avec d'autres chiens. On peut éviter cela, en grande partie, en faisant preuve de patience et d'un peu de maîtrise de soi. Le recours à la force ne fait qu'accentuer ces traits défavorables. Il faut apprendre à ces chiens ce que l'on attend d'eux plutôt que les réprimander avec sévérité.

Problèmes particuliers de dressage. Commencez le dressage de bonne heure pour éviter l'apparition de ces traits défavorables. Bien qu'entêtés, quand ils sont jeunes, ces chiens apprennent facilement. Attention aux oreilles si vous exécutez la traction brusque du collier. Pour un chiot, le collier coulissant de métal est à éviter. Choisissez-en un en nylon ou en cuir. Plus tard, un Beagle peut supporter un petit collier de métal.

Soyez ferme sans être dur. La plupart des ordres de base seront relativement faciles à apprendre. Cependant, ces chiens résistent à l'ordre « Couché ». Félicitez-les avec effusion dès qu'ils obéissent à un ordre.

Pour les dresser, choisissez un lieu qui n'offre pas d'occasion de distraction. Il faut tout particulièrement veiller à accaparer leur attention.

Le Coonhound noir et feu

Points positifs. Les Coonhounds sont affectueux. Ils préfèrent la campagne à la ville. Ils obéissent bien au dressage et ont un excellent appétit.

Points négatifs. Ces chiens ne sont pas faits pour vivre en ville. Comme beaucoup de chiens courants ils ne s'accommodent pas d'appartements de petite dimension. Vous devez toujours les surveiller ; en ville, ils fixent mal leur attention, tant ils sont enclins à battre la campagne au sens propre comme au sens figuré.

Problèmes de dressage particuliers. Comme beaucoup de chiens courants, ils ont une surabondance d'énergie et doivent prendre beaucoup d'exercice. Il n'y a rien de tel qu'une longue course pour rendre une séance de dressage plus efficace. L'exercice quotidien leur permettra de dépenser leur énergie, et en ville, ils seront des compagnons plus agréables.

Félicitez votre chien avec mesure deux secondes après qu'il a obéi.

L'Elan norvégien

Points positifs. Ces animaux qui aboient beaucoup sont de très bons chiens de garde. Ils aiment les jeux animés des enfants et sont d'excellents compagnons à la ville comme à la campagne. Ils possèdent un bon appétit, vivent entre douze et quinze ans et ont un tempérament égal.

Points négatifs. Ces chiens perdent leur poil en abondance ; il faut les brosser souvent si l'on ne veut pas trouver des touffes de poils sur les meubles et par terre. Ils sont vifs, ils courent et jouent beaucoup, aussi ne les recommandons-nous pas aux personnes âgées. Ils sont très têtus et il faut les mener avec fermeté ; pour qu'ils n'abusent pas de vous, ne négligez pas de les corriger à la moindre désobéissance. Si on les bat, ils deviennent agressifs.

Problèmes particuliers de dressage. Ils réagissent très bien au dressage. Il n'est pas fort difficile de les habituer à se soulager à l'extérieur. Cependant, s'ils restent fréquemment seuls, ils se mettent à tout lacérer ou à s'agiter dans la maison en causant des dégâts. On peut éviter cela en imposant, à ces chiens fougueux, un exercice intense avant de les laisser seuls.

Il n'est pas difficile de leur apprendre à obéir aux ordres. Autorité et fermeté sont de rigueur. Félicitez-les avec effusion dès qu'ils obéissent.

Le Lévrier afghan

Points positifs. Nombreux sont ceux qui le trouvent beau, à l'allure royale. Cette élégance est à l'origine de la vogue dont jouissent ces chiens ; les gens les veulent pour être à la mode. L'histoire rapporte que, trois mille ans avant notre ère, on voyait déjà ces animaux dans la péninsule du Sinaï, entre Suez et Akaba. L'histoire identifie leur race à la dignité royale, ce qui expliquerait l'attitude ostentatoire de bon nombre de ceux qui les possèdent. Aux grands jours de l'Empire britannique, on s'en servait pour la chasse au léopard. Malgré leur apparence altière et délicate, ce sont, depuis des siècles, de très bons chasseurs des régions montagneuses de l'Afghanistan. Aux Etats-Unis, on a surtout fait de ces chasseurs aristocratiques des chiens de luxe. Si vous aimez parer et pomponner des chiens, c'est la race qui vous convient : le long pelage soyeux exige un entretien quotidien.

Points négatifs. Ce sont des chiens entêtés qui se prêtent mal au dressage. Des gens qui en ont eu les considèrent comme stupides, ce qui n'est pas le cas. Simplement, ils n'éprouvent pas le désir de faire plaisir ni l'envie d'apprendre. Il est très difficile de les dresser. Alors qu'avec la plupart des races on peut commencer le dressage après la douzième semaine, on ne peut dresser les Afghans qu'à six ou sept mois, au plus tôt. A cet âge-là, il est tard pour leur apprendre à se soulager à l'extérieur, car ce dressage doit commencer tôt. De nombreux propriétaires d'Afghans ont obtenu un certain succès en les dressant. Les Afghans ne supportent pas beaucoup les enfants et ne sont pas faits pour la vie en appartement. Ils peuvent être agressifs et tyranniques.

Problèmes particuliers de dressage. La patience est primordiale. On ne peut traiter ces chiens comme ceux d'une autre race. Vous devez prendre votre temps. Félicitez votre chien avec effusion immédiatement après qu'il a obéi à un ordre. N'employez pas de collier coulissant métallique qui abîmerait son pelage soyeux. Choisissez un collier coulissant de cuir ou de nylon. Ne faites pas travailler le chien pendant longtemps, surtout quand vous lui apprenez les ordres « Suis-moi » et « Assis ». Faites des séances plus courtes et plus nombreuses.

A moins d'être disponible et de pouvoir faire sortir le chien cinq ou six fois par jour, vous aurez beaucoup de mal à lui apprendre à se soulager à l'extérieur. Il faut le prendre sur le fait, en train de faire ses besoins dans la maison, avant de pouvoir lui faire comprendre ce que vous attendez de lui.

Les chiens de cette race n'aiment pas qu'on les laisse seuls. Ils peuvent causer de graves destructions en lacérant les meubles et le reste. En raison de son entêtement il vous faudra être très ferme avec votre chien, pour lui apprendre les ordres « Couché » et « Couché, reste là ». Malgré sa grande beauté et son élégance, la période de dressage sera un affrontement de deux volontés, la sienne et la vôtre.

Le Lévrier anglais, Greyhound

Points positifs. Ces chiens sont recherchés à cause de leur élégance. Les propriétaires de Lévriers anglais se font un plaisir de rappeler que c'est la race la plus rapide du monde. En dehors des cynodromes on n'en rencontre pas souvent, ce qui est une raison supplémentaire de fierté pour ceux qui les possèdent. Leur allure vraiment distinguée leur donne un air aristocratique. On peut les voir faire leur promenade quotidienne, tout fringants. Cette agilité leur permet d'obéir aux ordres très rapidement. La vie à la campagne leur convient mieux parce qu'il n'y a ni bruit ni cause de distraction ; ils obéissent beaucoup mieux dans le calme.

Points négatifs. Ces animaux timorés et nerveux ne conviennent pas aux personnes âgées et aux enfants. Inquiets, ils ne se sentent pas à leur aise dans une ville avec les bruits de la circulation... A cause de leur fougue, ils ne s'adaptent pas bien à la vie de famille. Ils sont trop inquiets.

Problèmes particuliers de dressage. Le dressage doit commencer tôt. Il y faut de la douceur. On ne peut pas trop les secouer par des corrections fréquentes ; ils sont trop nerveux pour cela. Pour les dresser, le mieux est de leur montrer ce qu'il faut faire et de leur donner de bonnes raisons de le faire. Ils ne peuvent pas supporter qu'on les harcelle constamment avec des « Non », « C'est mal », « Très mal ». Félicitez votre chien avec effusion dès qu'il obéit à un ordre. Ne vous attendez pas à ce qu'il réagisse de la même manière qu'un Berger allemand ou même qu'un Beagle. Ces lévriers sont très impressionnables et ont besoin de soins tendres et affectueux.

Le Lévrier d'Irlande, Irish Wolfhound

Points positifs. Ces chiens robustes, disposés à jouer et protecteurs, conviennent très bien aux enfants et font de bons compagnons. Ils se trouvent dans des conditions idéales à la campagne, où ils peuvent beaucoup courir et jouer. On ne peut guère résister à leur douceur et leur gentillesse. En ville ils sont souvent nonchalants et dorment une grande partie du temps ; ils s'accommodent très bien de la vie en appartement. Leur poil dur n'exige pas beaucoup d'entretien.

Points négatifs. La taille même de ces chiens peut décourager un acquéreur éventuel qui habiterait en ville. Ce sont parmi les plus gros chiens qui existent et il leur faut une grande quantité de nourriture, aussi si vous voulez faire des économies, devriez-vous bien réfléchir avant d'en acheter un.

Problèmes particuliers de dressage. Pour les lévriers d'Irlande il faut beaucoup de fermeté. A cause de leur grande taille, vous ne devez ni tergiverser, ni capituler après avoir donné un ordre. S'ils échappaient à votre autorité, ce pourrait être grave. Il serait impossible de maîtriser un lévrier d'Irlande qui mesure 90 cm et pèse 80 kg, s'il devenait brusquement agressif. Aussi est-il absolument indispensable de commencer le dressage de bonne heure ; cette race réagit bien au dressage mais avec plus de lenteur que les autres. Les Lévriers d'Irlande mettent un peu plus longtemps à obéir à l'ordre « Assis » ; pour répondre « Viens ici », ils avancent vers vous par bonds plutôt que par une course rapide.

Si le chien est destiné à être mené par une femme, il est essentiel que le dressage se fasse quand l'animal est encore petit et facile à diriger. Il est important de se montrer ferme. La traction brusque du collier doit s'exercer avec beaucoup de vigueur ; si simultanément vous dites « Non » d'une voix forte, vous finirez par arriver à le corriger sans traction du collier, la correction orale sera suffisante.

Félicitez votre chien avec effusion quand il obéit à un ordre.

Le Lévrier persan, Saluki

Points positifs. Compte tenu de leur taille, ces chiens conviennent aux personnes âgées. Ce sont des animaux au caractère égal qui font d'excellents compagnons à la ville comme à la campagne. Ces chiens exotiques sont très tranquilles.

Points négatifs. Indépendants et distants, ces chiens ne conviennent pas à une famille nombreuse. Ce sont généralement des individus bourrus, des originaux qui les choisissent. Ces chiens ne sont pas extrovertis, et seules quelques personnes d'un type particulier les recherchent. Il est difficile pour la famille moyenne de s'intéresser à ce genre d'animal hautain et réservé.

Problèmes particuliers de dressage. Ces chiens se prêtent au dressage, mais moins bien que ceux d'autres races, parce qu'ils sont inquiets et nerveux. Le bruit les rend ombrageux. Il faut éviter que des séances de dressage aient lieu près de rues animées ou d'endroits bruyants. Un coin paisible, à la campagne est ce qui convient le mieux. Etant inquiets, ces animaux ont besoin que vous les rassuriez en leur témoignant votre affection et votre satisfaction toutes les fois qu'ils réagissent comme il faut. Félicitez votre chien avec effusion dès qu'il obéit à un ordre ; soyez expansif.

Le Rhodesian Ridgeback

Points positifs. Ces chiens robustes, de grande taille, font de très bons chiens de garde. Ils sont agressifs sans être méchants.

Ce sont des chiens très intelligents. Ils jouent et prennent beaucoup d'exercice, ils conviennent aussi bien à la campagne qu'à la ville, leur poil court exige peu de soins.

Points négatifs. Ces chiens sont très volontaires et ne conviennent vraiment pas aux personnes âgées. Leur maître doit être robuste et autoritaire. En général les femmes ont de la peine à les gouverner. Ils abusent d'un maître qui n'exige pas de discipline stricte ou qui se contente d'une obéissance approximative à chacun des ordres donnés. Ils peuvent être très têtus quand ils le veulent.

Problèmes particuliers de dressage. Ayant affaire à des chiens extrêmement têtus, vous devez faire preuve de patience en leur apprenant l'obéissance aux ordres fondamentaux. Vous devez exiger qu'ils obéissent à chacun des ordres donnés. Une fois qu'ils sont dressés, ne leur permettez pas de désobéir. Le succès ne s'obtient qu'au prix de strictes corrections. On doit les faire obéir sitôt l'ordre donné, sans avoir à le répéter ; il doit toujours en être ainsi. Félicitez avec effusion votre chien quand il obéit.

En promenade, il faut le faire marcher à côté de vous, il a

trop tendance à vous tirer en avant. Ce chien se montre agressif envers les autres chiens ; c'est un problème à résoudre dès qu'il se présente. (Voir chapitre 15, « Chiens à problèmes. ») Le cours fondamental d'obéissance vous aidera. Pour dresser ce chien, il est essentiel de pouvoir le maîtriser en permanence.

Le Terrier du Congo, Basenji

Points positifs. Les Terriers du Congo ont très bon caractère et sont très affectueux. Fortement individualistes, ils ont tendance à s'attacher à une seule personne. S'adaptant très bien à la vie en ville, ils font d'excellents chiens d'appartement. Ils sont calmes et n'aboient jamais. Leur poil court n'exige pas beaucoup d'entretien. Ils réagissent bien au dressage et manifestent la volonté de faire plaisir. Par un dressage commencé tôt, on peut arriver à de bien meilleurs résultats. Ces animaux aimables se caractérisent par une face à l'expression quasi humaine. Ils sont bons et tolérants pour les enfants. Comme ils ne sont pas inquiets, on peut les laisser seuls pendant des heures sans qu'ils se départent de leur tempérament égal.

Points négatifs. Ils sont entêtés, c'est pourquoi nous ne les recommandons pas aux personnes âgées. S'ils ont décidé de faire quelque chose, vous devrez opposer une grande autorité à leur obstination. Comme ils n'aboient pas, ce ne sont pas de bons chiens de garde.

Problèmes particuliers de dressage. Vous avez affaire à un chien entêté, aussi faut-il bien lui donner vos ordres selon les règles. Soyez très ferme et faites-lui comprendre que le maître, c'est vous. Félicitez-le avec effusion dès qu'il a obéi. Avec cette race vous ne devriez pas avoir de nombreux problèmes de dressage.

Le Whippet

Points positifs. Ce sont de vrais chiens de course comme le Lévrier anglais, mais plus petits. Ce sont des animaux affectueux, intelligents, qui peuvent parcourir soixante kilomètres à l'heure. Bien qu'ils soient faits pour la course rapide, ce sont de bons compagnons dans une maison, ils s'y asseyent paisiblement, avec grâce, et apportent dignité et décorum à une pièce. Comme

ils aboient aux inconnus, ce sont de bons chiens de garde.
Cependant, ils sont d'un naturel doux.

Points négatifs. Les Whippets sont fragiles. Très sensibles aux
grands bruits, ils deviennent ombrageux dans la rue. Ils ne
conviennent pas aux enfants. Ces créatures délicates ne sont ni
exubérantes ni expansives au milieu d'une famille.

Problèmes particuliers de dressage. Il est presque impossible de
tenir les séances de dressage à l'extérieur. Les bruits extérieurs
les effraient trop. On doit les dresser à l'intérieur, à l'abri des
distractions. Assurez-vous que ces chiens ont appris à obéir à
chacun des ordres avant de vous aventurer dehors avec eux.

Ne vous servez pas d'un collier coulissant métallique. Prenez
un collier coulissant de nylon ou de cuir et, de plus, ne tirez pas
trop fort lors des corrections. Félicitez votre chien avec effusion
dès qu'il obéit. Le dressage demande de la patience. Si vous êtes
trop dur, les chiens de cette race n'ont pas confiance en vous et
deviennent inquiets. Les difficultés viennent de ce qu'on les
dorlote trop et que souvent on ne leur permet pas de sortir, ce
qui en fait des chiens inquiets et craintifs. Il est recommandé de
les faire sortir dès leur plus jeune âge et de les accoutumer aux
bruits insolites.

LES CHIENS D'UTILITÉ

L'Alaska Malamute

Points positifs. Ces chiens sont comme des ours en peluche. Ce sont de grands compagnons de jeu hirsutes qui tolèrent d'être malmenés par des enfants ; ceux-ci les montent parfois comme des poneys. Ces animaux supportent les punitions ; néanmoins il ne faut pas leur en administrer. Ils sont bien adaptés au froid et peuvent, pendant les mois d'hiver, rester de longues heures dehors. Leur fourrure est si épaisse qu'ils peuvent résister aux températures les plus basses sans inconvénient. Néanmoins, ces gros chiens s'accommodent très bien de la vie en appartement. Ils n'ont pas besoin de beaucoup d'exercice et sont nonchalants à l'intérieur.

Points négatifs. Ces chiens ont un long poil qu'ils perdent en abondance. Ils sont très entêtés et difficiles à dresser. Beaucoup deviennent agressifs. Ils doivent être gouvernés par un homme robuste et à poigne. Ils ont tendance à se battre avec d'autres chiens.

Problèmes particuliers de dressage. Un collier coulissant métallique est nécessaire pour corriger l'animal avec fermeté ; mais ne le lui laissez pas au cou tout le temps : il lui abîmerait le pelage. Ces chiens s'habituent facilement à se soulager à l'extérieur ; pendant ce dressage, il faut les faire sortir souvent et les surveiller attentivement. On doit les dresser à obéir dès le plus jeune âge. Ce sont des chiens entêtés nullement portés à faire plaisir à leur maître. Ils vous mettent continuellement à l'épreuve pour voir jusqu'à quel point ils peuvent désobéir impunément. Félicitez-les avec effusion dès qu'ils obéissent.

Si on ne les dresse pas bien, ils deviennent agressifs. Il ne faut ni les frapper, ni les punir, ni les harceler en répétant « Non ». Nous connaissons plusieurs exemples de ces chiens qui ont attaqué leur maître. Ce n'est pas parce qu'ils appartiennent à une race de chiens méchants, mais plutôt parce que les maîtres croient qu'un chien de grande taille doit être puni sévèrement.

« Suis-moi » est un des ordres les plus importants pour ces chiens. Ils pèsent jusqu'à quarante-cinq ou cinquante kilos et peuvent vous tirer derrière eux dans la rue. Soyez ferme et exigeant avec eux dès le jeune âge. L'ordre « Viens ici » exécuté sans laisse pose un problème. Parfois ils refusent d'obéir. Il faut toujours donner à cet ordre l'importance qui convient.

Montrez-vous très ferme et faites-les obéir aussi rapidement que possible, ne tolérez aucun refus d'obéissance. Il faut les corriger avec fermeté. Pour réussir le dressage de ces chiens démonstratifs il faut le commencer très tôt.

Le Berger allemand

Points positifs. C'est la race la plus intelligente que Matthew Margolis ait jamais dressée. Aucun chien n'est plus désireux d'apprendre et d'obéir à tous les points du dressage. Les Bergers allemands ont tout ce qu'il est souhaitable de trouver chez un bon chien qui convient à toutes les circonstances. On en fait des chiens d'aveugles, des chiens de garde, on les utilise dans la répression du trafic de la drogue et ce sont aussi de très bons compagnons. Un Berger allemand convient à tout le monde. Ces chiens font merveille avec les enfants et les personnes âgées. Ils se trouvent bien à la ville comme à la campagne. Ils mangent sainement et atteignent un âge avancé. Ils sont capables de s'adapter à tous les milieux.

Points négatifs. Ces chiens perdent leur poil en permanence.

Parce que la demande est très grande, un problème dû à la consanguinité se pose depuis quelques années. La dysplasie de la hanche semble affecter ces Bergers plus que toute autre race importante. On peut dire, en simplifiant à l'extrême, que cette maladie est caractérisée par une dislocation congénitale de la cavité articulaire de la hanche, qui risque souvent de passer inaperçue pendant les huit premiers mois. Les études médicales récentes ont montré que cette maladie peut affecter les chiots trop bien nourris. Avant d'acheter un Berger allemand, il importe de se renseigner sur l'hérédité de l'animal, auprès de l'éleveur. S'il y a un cas de dysplasie de la hanche dans les antécédents de l'animal, *ne l'achetez pas*. Il n'y a rien de plus navrant que de vivre avec un chien pendant huit ou dix mois, et d'avoir ensuite à le faire supprimer ou à le soumettre à une opération chirurgicale grave, cette maladie étant mortelle. C'est ce qu'il faut considérer avant de choisir un Berger allemand ; autrement cette race ne présente pas d'autres aspects défavorables.

On parle beaucoup de Bergers qui auraient attaqué leur maître. Un chien que l'on peut dresser pour servir de guide à un aveugle, n'est pas méchant de naissance. Aucun animal ne garde un tempérament égal si on crie ou si on le bat, cela est vrai des Bergers, des Dobermans, des Colleys ou des Bassets allemands. Il faut remarquer que c'est la sottise du maître qui rend le chien méchant.

Problèmes particuliers de dressage. Donnez à ces animaux l'occasion d'apprendre, récompensez-les en les félicitant, rendez les séances de dressage intéressantes, et le cours d'obéissance de la première partie de ce livre ne posera aucun problème. Félicitez votre chien avec effusion dès qu'il obéit.

Le Berger anglais à queue courte

Points positifs. Cette race est devenue à la mode à cause de l'aspect unique du poil. Ces chiens ont l'air de jouets en peluche qui auraient pris vie. Le guide de l'American Kennel Club indique que le poil doit être abondant sans excès. Cependant, la mode actuelle demande cet excès. La publicité télévisée a récemment reconnu l'attrait de cette race, belle à voir, qu'elle utilise dans beaucoup de réclames d'aliments pour chiens. Ces chiens ont un bon tempérament et sont excellents avec les enfants. Déjà irrésistibles très jeunes, ils ont encore plus de charme en devenant adultes et apportent dans tout intérieur un élément de beauté douillette. Ils s'accommodent bien de la ville comme de la campagne. Robustes, ils supportent sans mal les jeux brutaux des enfants ainsi que quelques bonnes corrections ; ils posent peu de problèmes dans un appartement.

Points négatifs. Par suite de consanguinité, ces chiens sont parfois inquiets, agressifs et têtus. S'ils ont reçu des coups, ils peuvent avoir mauvais caractère et même devenir méchants. Dans quelques cas, s'ils n'ont été ni conduits ni élevés comme il aurait fallu, on peut avoir quelques chiens de mauvaise qualité. La demande sur le marché est devenue importante, de sorte que la sélection laisse à désirer. Dans les élevages, on ne se soucie pas toujours d'éliminer les inaptes. La seule solution est de connaître les ascendants de l'animal. N'hésitez pas à vous renseigner sur son hérédité.

Pour ce qui est de la façon de le mener, il va de soi qu'un chien que l'on maltraite finit par attaquer parce qu'il a peur et qu'il n'a pas confiance en son maître. Le remède est évident : ne frappez votre chien sous aucun prétexte.

Ces chiens ont besoin de beaucoup d'entretien, surtout si vous voulez que leur poil soit abondant et long à l'excès. Ils ne sont plus aussi beaux si on les néglige pendant une semaine. Les poils se collent, se souillent, se dessèchent et il devient impossible de les démêler. Ces chiens doivent faire l'objet d'un entretien quotidien minutieux, faute de quoi, il faut les faire tondre complètement pour que le poil puisse repousser. Pour cet entretien, les services d'un personnel spécialisé sont très coûteux. Si vous ne pouvez vous les offrir, vous devez être prêt à faire ce travail vous-même tous les jours. Il n'est pas facile pour des personnes âgées de mener ces chiens au tempérament vif.

Problèmes particuliers de dressage. Il s'agit d'une race très entêtée qu'il convient de traiter avec fermeté. Le dressage ne commence qu'à l'âge de cinq ou six mois au plus tôt. Ces chiens n'étant pas adultes avant seize mois, il est inutile de commencer le dressage de bonne heure. Cela vaut pour le dressage à l'obéissance, mais, par contre, c'est dès le plus jeune âge qu'il faut les habituer à se soulager à l'extérieur. N'utilisez jamais de collier coulissant métallique. Le collier de métal est trop lourd et leur abîmerait le poil.

Presque tous les ordres du cours d'obéissance donneront lieu à une lutte entre le chien et vous. Cela est surtout vrai pour « Couché » et « Suis-moi ». Il vous faut insister sur ces deux ordres. Félicitez votre chien à voix basse dès qu'il obéit.

Ne lâchez jamais ces chiens sans laisse ; nous ne recommandons pas le dressage sans laisse pour cette race. En achetant un de ces chiens, sachez qu'il va vous falloir beaucoup de travail pour le dresser.

Le Berger de Berne

Points positifs. Ce sont de merveilleux chiens d'intérieur, ils conviennent très bien aux enfants. Ils n'ont pas de problèmes de santé particuliers, ils ont un excellent appétit et vivent longtemps et sans histoires. Ces vieux aristocrates suisses sont d'un tempérament très doux et égal. Ils sont faits pour tous les types de temps et n'exigent que peu d'entretien. Très loyaux, ils concentrent toute leur affection sur la famille dans laquelle ils vivent.

Points négatifs. Néant.

Problèmes particuliers de dressage. Les chiens de cette race sont des animaux très sensibles. Soyez patients et doux en leur donnant des ordres. Corrigé trop souvent et trop sévèrement, votre chien deviendrait craintif et aurait peur de la traction du collier.

Ne lui laissez pas longtemps un collier métallique, qui risquerait de lui abîmer le pelage du cou.

Félicitez-le avec effusion dès qu'il obéit.

Le Berger hongrois, Puli

Points positifs. Le Berger hongrois appelé aussi Puli, est unique en ce que, sans être de très grande taille, il supporte d'être malmené au cours de jeux turbulents, ce que beaucoup de gens apprécient. De taille moyenne, il n'est pas délicat. Chien et enfants peuvent jouer pendant des heures sans mal. Il obéit très bien au dressage. C'est un merveilleux chien de garde. Très attentif à protéger la famille dans laquelle il vit, il risque de se montrer agressif au moment voulu. La vie en appartement ne lui est ni pénible ni difficile ; il ne s'adonne pas à des courses désordonnées et n'a pas besoin d'exercice excessif.

Points négatifs. L'agressivité de ces chiens peut parfois confiner à la méchanceté. Nous ne les recommandons pas aux personnes âgées parce qu'ils sont inquiets et nerveux. De temps en temps, on peut tomber sur un spécimen qui ne convienne pas du tout aux enfants. Pour l'achat, le mieux est de s'adresser à un éleveur réputé honnête et de se renseigner sur l'hérédité de l'animal. Si celle-ci laisse à désirer, la possession d'un Berger hongrois est une affaire difficile.

Problèmes particuliers de dressage. Même élevé convenablement, un Berger hongrois est entêté. Si son hérédité n'est pas favorable, il peut être méchant au point de vous rendre la vie impossible. Le dressage doit commencer de bonne heure, il faut éviter de lui faire peur et de le punir, sous peine de détériorer son caractère de façon irrémédiable. S'il reçoit des coups, il devient agressif et peut se mettre à mordre. Félicitez-le à voix basse dès qu'il obéit.

Le Berger Shetland, Sheltie

Points positifs. Ces Colleys de taille réduite sont très tendres et affectueux. N'étant ni agités ni agressifs, ils sont excellents pour les personnes âgées. Ce sont des chiens extrêmement doux. Cette race convient aux enfants, mais les trop jeunes enfants risqueraient de faire mal à ces chiens délicats. Ils occupent peu de place et sont assez dociles. Ils conviennent aussi très bien à la campagne ; le calme paisible du milieu rustique est en accord avec leur tempérament.

Points négatifs. Inquiets, hypertendus et enclins à la timidité, les Bergers Shetland ont besoin d'un surcroît de tendresse et d'affection, surtout pendant la période du dressage. Il ne faut pas les malmener ni même les caresser brusquement. Ils sont extrêmement sensibles. Ce ne sont pas des chiens pour familles nombreuses.

Problèmes de dressage particuliers. Etant extrêmement sensibles, ces chiens ont besoin d'affection. N'employez pas de collier coulissant, quel qu'il soit. Corrigez-les avec douceur à l'occasion de tous les ordres que vous leur apprenez. Cela n'exclut pas la fermeté de votre part quand vous donnez des ordres, mais il faut les corrcger avec douceur et leur prodiguer beaucoup de félicitations. Félicitez-les avec grande effusion dès qu'ils obéissent.

Le dressage doit suivre une lente progression. Apprenez-leur soigneusement chacun des ordres sans rechercher des résultats immédiats, sinon les chiens deviendraient craintifs.

Le Bouvier des Flandres

Points positifs. Ces grands animaux au long poil sont de bons chiens de garde et d'excellents compagnons. De tempérament ouvert avec les enfants, ils adorent la vie de famille. Les Bouviers des Flandres désirent vivement faire plaisir et apprennent vite. Le dressage réussit mieux avec eux qu'avec les chiens de la plupart des autres races. Comme compagnons, ils valent le Berger allemand et le Caniche moyen. De tempérament égal, ils sont exceptionnellement doux et affectueux.

Points négatifs. Le seul élément négatif tient aux longs poils qui nécessitent un entretien important que l'on ne doit jamais remettre à plus tard. Nous connaissons un chien qui, victime de la négligence de son maître, a dû être complètement tondu.

Problèmes particuliers de dressage. Néant. Si vous lui montrez ce qu'il faut faire, ce chien le fait. Félicitez-le avec effusion dès qu'il obéit.

Le Boxer

Points positifs. Cette race plaît à cause de la morphologie de sa tête. Les bajoues tombantes et les pommettes plissées donnent au chien une expression fascinante et sympathique. Ces chiens sont si expressifs et ouverts qu'il suffit de les regarder pour deviner leurs intentions. Ils conviennent très bien aux enfants ; ils sont puissants et supportent très bien les jeux turbulents. Une fois dressés, ils obéissent très rapidement à un ordre donné. Leur poil court n'exige pas beaucoup d'entretien. Robustes et vigoureux, ils ont bon appétit.

Points négatifs. Certains Boxers sont doux, d'autres inquiets, d'autres encore agressifs. Tout dépend de l'hérédité de chacun des sujets. Il faut connaître l'éleveur et les ascendants d'un chien avant de l'acheter. La commercialisation et la consanguinité ont fait du tort à cette race. N'hésitez pas à poser des questions et demandez à voir le père et la mère d'un chiot.

Problèmes particuliers de dressage. Les Boxers sont sensibles aux corrections, mais ils sont aussi entêtés, ce qui rend le dressage difficile. Plus le chien est jeune, mieux il réagit au dressage à l'obéissance. Après six mois, ses habitudes se fixent et il oppose une grande résistance au dressage. L'ordre « Couché » est pour lui le plus difficile ; il ne veut pas lui obéir. Prenez votre temps pour cet ordre, et étalez-en l'apprentissage sur une longue période.

Il n'est pas difficile d'habituer votre chien à se soulager à l'extérieur pourvu que vous commenciez très tôt.

Félicitez-le avec effusion deux secondes après qu'il a obéi à un ordre.

Le Colley, Berger d'Ecosse

Points positifs. La plupart des Colleys se montrent dignes de la réputation de bon caractère qui leur est faite. Bien sûr, cette image de marque vient de Lassie, la chienne favorite de la télévision pendant de très nombreuses années. A cause de ces émissions avec Lassie, nous avons tendance à imaginer que le Colley est épris de liberté, qu'il court à travers la campagne et couvre de grandes distances. Cette image est exacte s'il s'agit d'un chien qui vit à la campagne et à qui l'on permet de courir çà et là sans laisse. Néanmoins le Colley est un excellent chien de ville, qui s'adapte à la vie en appartement, et qui n'a pas un besoin absolu de prendre de l'exercice.

Les Colleys sont accommodants, ils se sentent bien dans un coin et y restent. Il est évident qu'ils réagissent très bien au dressage. Ils sont merveilleux avec les enfants avec lesquels ils ont des rapports durables. Jusqu'à maintenant, l'élevage des Colleys a été satisfaisant et a donné des animaux stables au tempérament égal. N'étant pas trop fougueux ni trop difficiles à diriger, ils sont d'excellente compagnie pour les personnes âgées.

Points négatifs. Ils font preuve d'entêtement pour ce qui est du dressage. En fait cette opinion se fonde sur l'expérience de dressage de Colleys qui n'étaient plus très jeunes. Les chiots y mettent plus de bonne volonté. Si l'on retarde le dressage, ces chiens ont tendance à devenir agressifs (surtout s'ils ont reçu des coups), à pousser des grognements sourds, à mordiller ou même à mordre. Certains d'entre eux ont attaqué leur maître.

Problèmes particuliers de dressage. Ne lui laissez pas longtemps autour du cou un collier coulissant métallique qui lui abîmerait le poil. Un collier de cuir est préférable.

Certains Colleys se mettent à tout lacérer à coups de dents quand on les laisse seuls. Veillez à être très patients avec ces chiens et à ne jamais les maltraiter. En vous montrant trop dur ou en les corrigeant trop, vous créez des problèmes complexes de comportement. Si un chien est trop folâtre et agité avant une séance de dressage, il suffit de le calmer en l'apaisant. Usez de beaucoup de douceur. Félicitez votre chien avec effusion dès qu'il obéit.

Le Danois (grand), Dogue allemand

Points positifs. Le grand Danois possède de nombreux traits favorables. Ces chiens conviennent à la ville et à la campagne. Malgré leur taille, ils s'accommodent très bien de la vie en appartement. Précisément à cause de leur taille, ils sont très nonchalants ; c'est pourquoi ils ne se sentent pas à l'étroit dans un appartement. Il n'est pas cruel de garder un Danois en ville. Ces chiens sont merveilleux pour les enfants. Leur taille peut être quelque peu gênante pour courir et jouer, mais ils sont toujours pleins d'entrain dans leurs ébats. Ils sont tolérants et d'un naturel doux. On peut en faire des chiens de garde. Leur poil court n'est pas difficile à entretenir.

Points négatifs. Cette race pose quelques problèmes de santé. Certains sujets ont les genoux enflés et douloureux, infiltrés d'eau et d'autres liquides. Leurs os volumineux sont parfois sujets à des maladies. Ils ont quelquefois des cals importants. Consultez un vétérinaire pour avoir plus de détails.

Avant l'achat, les antécédents médicaux de l'animal et de ses ascendants doivent faire l'objet d'une enquête. Ces chiens sont de gros mangeurs : il ne faut pas avoir un Danois si l'on veut faire des économies.

Problèmes particuliers de dressage. On doit habituer les grands Danois à se soulager à l'extérieur à l'âge de trois mois, et commencer le dressage à l'obéissance un mois plus tard.

Ce sont des chiens très sensibles qu'il convient de traiter avec douceur. Trop de corrections les rendraient craintifs et ombrageux. Félicitez-les avec effusion dès qu'ils obéissent à un ordre. On doit les habituer à la circulation, au bruit et aux inconnus, dès leur plus jeune âge.

Ils aiment s'appuyer sur les gens qui se trouvent le plus près d'eux, ce qui, avec des chiens pesant cent vingt-cinq kilos, peut poser un problème. Déterminez très tôt si vous les laisserez faire ou non. Une fois que vous acceptez ce comportement, il vous est difficile de leur en faire perdre l'habitude. Il en est de même de leur tendance à sauter sur les meubles ; on trouve cela gentil de la part de chiots, mais c'est très gênant quand il s'agit de chiens adultes. Il est merveilleux de posséder un de ces chiens qui posent très peu de problèmes de dressage.

Le Doberman Pincher, Pinscher

Points positifs. Cette race manifeste le plus vif empressement à faire plaisir. Comme chiens de garde, les Dobermans sont des adversaires redoutés, mais ce sont aussi de bons compagnons qui font merveille avec les enfants. Contrairement à ce que l'on dit, ils ne sont pas méchants et n'attaquent pas leur maître. C'est seulement quand ils sont battus et maltraités qu'ils usent contre leur maître de leur force et de leur capacité de mordre.

Ces chiens ne se sont jamais attiré la sympathie de qui a eu affaire à eux comme chiens de garde. Ils donnent à la famille avec laquelle ils vivent, à la fois affection et protection, ce qui est exceptionnel. Ils réagissent au dressage à l'obéissance, mieux, plus vite et avec plus de grâce que les chiens de toute autre race. On a élevé et dressé des Dobermans de différentes façons pour des utilisations diverses. Par exemple, le Doberman, compagnon idéal, représente aussi une force de dissuasion pour celui qui songerait à attaquer. Il y a aussi des Dobermans de protection, de garde et d'attaque. Dans le monde des chiens, le Doberman s'est particulièrement signalé comme compagnon loyal, fidèle et affectueux.

Points négatifs. Les traits défavorables viennent de la façon dont chaque sujet a été élevé. On les trouve chez des Dobermans qui descendent d'une lignée de chiens nerveux et inquiets. Avant l'achat, il importe d'examiner le pedigree d'un Doberman. Il est bon de voir le père et la mère. Si le chien est très sensible, il devra faire l'objet d'une sollicitude particulière, quand il se trouve avec des inconnus, en voiture, ou dans des endroits qui ne lui sont pas familiers. A cause de son instinct qui le pousse à protéger, on pourrait le croire méchant, lorsqu'il sent que lui-même ou un des membres de la famille va être attaqué. Cela, cependant, est souvent considéré comme un trait favorable.

Le Doberman ne tolère pas bien la discipline stricte et les mauvais traitements. Seuls, les membres de la famille peuvent le toucher. Dans beaucoup de cas, le maître est la seule personne à pouvoir lui donner un ordre. A moins que l'éducation reçue ne lui ait donné de la modération, on doit le présenter aux inconnus, et de toutes façons, il ne s'occupera pas d'eux. Il n'accepte que les gens que son maître accepte. Souvent la sensibilité du chien lui donne un tempérament inquiet, ce qui le rend craintif ou agressif à l'excès.

Il importe que vous sachiez pourquoi vous voulez un chien de cette race. Ayez une idée nette des tâches que vous lui demanderez d'accomplir, cela vous guidera vers le type de Doberman qui vous convient.

Problèmes particuliers de dressage. Il est important de connaître le tempérament de votre Doberman. Est-il tolérant, amical, à l'aise dans des endroits bruyants ou pleins de monde ? S'il en est ainsi, on peut le dresser exactement comme la plupart des chiens des autres races. Mais un Doberman hypersensible doit être confié à un dresseur professionnel.

Même pour un Doberman au caractère égal, il ne faut pas exécuter la traction brusque du collier aussi énergiquement que pour les autres chiens. Les Dobermans apprennent vite et comprennent en cinq minutes ce que d'autres mettent une demi-heure à saisir. Félicitez-les avec effusion dès qu'ils obéissent. Cela est important si vous voulez qu'ils conservent leur bon tempérament. Pour le dressage, il faut de la discrétion. Ils ne doivent jamais avoir l'impression d'être punis. A cause de leur sensibilité extrême, il ne faut jamais crier ni montrer une autorité excessive.

Après avoir reçu l'ordre « Assis, reste là », ces chiens ne veulent pas garder longtemps la position requise. Servez-vous d'une laisse plus longue et ne cessez pas de le féliciter tant qu'il garde cette position.

Avec cette race, les ordres « Couché » et « Couché, reste là » exigent un peu plus de temps qu'avec les autres. On doit présenter ces ordres avec beaucoup de douceur.

Les séances de dressage doivent être plus fréquentes et plus courtes qu'avec les autres races — l'idéal serait deux ou trois séances par jour. Le dressage des Dobermans ne doit pas être précipité. Si l'on prend son temps, les résultats seront vraiment satisfaisants. Il ne faut pas manquer de leur témoigner de l'affection et de les féliciter. Cependant, accompagnez toute correction d'un « Non » catégorique : ce mot a plus d'effet sur eux que sur la plupart des autres chiens. Ils doivent apprendre que le maître, c'est vous, et que vous commandez. Si vous avez peur d'eux, ils le sentent tout de suite et s'en servent contre vous.

Conduite à tenir avec les Dobermans :
1. Ne les maltraitez pas.
2. Ne les gâtez pas.
3. Faites-leur sentir qu'ils font partie de la famille.

4. Ne manifestez aucune peur, car ils réagiraient mal.

5. Traitez-les avec bonté. Ne leur ménagez ni félicitations ni marques d'affection.

Le Dogue anglais, Mastiff

Points positifs. Ce sont de grandes bêtes à l'aspect solide, qui allient la taille et la force à un tempérament égal. Ce sont, à leur façon, de beaux chiens. A l'origine, on les a élevé en Angleterre pour avoir des chiens d'attaque qui ne fussent pas méchants, mais capables d'empêcher le braconnage dans les grands domaines.

Ce sont des chiens accommodants, qui font d'excellents compagnons pour les personnes âgées. Malgré leur taille, ils sont faciles à manœuvrer. Ils conviennent aux enfants et s'adaptent très bien à la vie en appartement. Ils conviennent aussi très bien à la campagne. Ils font de bons chiens de garde. Ils sont doux, vifs et réagissent très bien au dressage. Si on les garde à l'intérieur, ils sont nonchalants et passent la plus grande partie du temps à dormir.

Points négatifs. Leur grande taille peut poser un problème s'ils deviennent de trop bons chiens de garde. Il faut aussi penser aux dépenses qu'entraîne la nourriture de ces grands animaux qui ont toujours faim.

Problèmes particuliers de dressage. Le dressage doit commencer quand ils sont très jeunes. Certains sont parfois têtus, mais le dressage élimine ce défaut avant qu'il ait eu le temps de se fixer. « Couché » est l'ordre le plus difficile ; mais ce problème aussi peut se résoudre par le dressage commencé très tôt.

Félicitez votre chien avec effusion quand il obéit à un ordre.

Le Husky de Sibérie

Points positifs. De plus en plus à la mode aux Etats-Unis et au Canada, ces animaux remarquablement intelligents et doux possèdent l'aptitude unique de pouvoir s'adapter à n'importe quel climat, n'importe quelles circonstances. Couverts d'un poil épais, ils supportent les froids les plus intenses comme la chaleur la plus torride. Ils font plaisir à voir à la campagne, surtout dans la neige, et cependant ils sont aussi très heureux en ville. Ces beaux chiens ont un pelage généralement argent et noir (quelquefois argent et roux) ; la conformation unique des lèvres, retroussées vers l'arrière, fait qu'ils ont toujours l'air de sourire.

D'un naturel doux et sociable, ils ne sont d'aucune utilité comme chiens de garde, mais ce sont de bons compagnons affectueux. La plupart de ceux qui ont le pelage argent et noir ont comme un masque de fourrure noire autour des yeux, qui contraste avec le poil blanc de la tête, leur donnant ainsi un air menaçant qui effraie les gens mal intentionnés. Ces beautés nordiques sont presque comme des êtres humains et l'on peut s'en faire des amis véritables. Ils conviennent aux enfants en toutes circonstances : robustes et enjoués, ils aiment que ceux-ci les traitent sans ménagement. Ces chiens sont attirés par les enfants, même inconnus, avec qui ils voudraient jouer. Quand on entend le hurlement ou « chant » d'un Husky de Sibérie, on ne l'oublie jamais plus.

Points négatifs. Ces chiens perdent leur poil plusieurs fois par an et abîment les tapis coûteux. Si, vêtu d'un costume sombre, vous en frôlez un, vous emportez sur vous des quantités de poils blancs.

Parfois ils deviennent difficiles pour la nourriture. S'ils ne mangent pas en compagnie d'un autre animal ou s'ils n'aiment pas ce qu'on leur donne, ils se passent de nourriture presque au point de mourir de faim. Ils sont obstinés et ne veulent en faire qu'à leur tête. Aussi ne les recommandons-nous ni aux personnes âgées ni aux maîtres trop tolérants.

Si ces chiens ne sont pas dressés avec grande fermeté et discipline, ils vous désarticulent le bras pour pouvoir aller vers un autre animal dans la rue ou vers quelque compagnon de jeu possible. Ils ne supportent pas d'être laissés longtemps seuls ; si cela se produit, ils lacèrent tout ce qu'ils trouvent dans la maison. Très fougueux, ils s'ennuient facilement. Quelquefois la présence d'un autre animal est la seule solution pour empêcher ces destructions. Un autre chien ou même un chat peut convenir.

Problèmes particuliers de dressage. Un collier coulissant métallique est le seul instrument efficace pour les corrections. Elevés pour tirer de lourds traîneaux, ils ont les muscles du cou très développés et seules, les tractions du collier les plus énergiques ont un effet sur eux. Cependant il faut leur enlever le collier de métal dès la fin de chaque séance, car il abîme le poil du cou.

Parfois, dans certains cas particuliers, il peut être difficile d'habituer un de ces chiens à se soulager à l'extérieur. Pour cette partie du dressage, le Husky de Sibérie exige une attention permanente et doit faire de nombreuses sorties.

Ces chiens apprennent vite et réagissent merveilleusement au dressage. Cependant ils gardent leur indépendance et leur entêtement, et l'on ne peut compter sur eux pour qu'ils obéissent chaque fois, même après avoir été dressés minutieusement. Il faut leur faire faire des révisions fréquentes. Faites-leur comprendre ce que vous attendez d'eux et que le maître, c'est vous. Ils mettent votre autorité à l'épreuve toutes les fois qu'ils le peuvent. Aimables et sympathiques, ils se servent de toutes les ruses possibles pour ne pas obéir à un ordre et faire ce qui leur plaît. Fermeté et autorité sont nécessaires pour gouverner ces chiens.

Vous ne devez pas vous laisser aller à suivre leurs caprices quand ils désobéissent au dressage. C'est le point le plus difficile pour les maîtres de ces créatures magnifiques, semblables à des enfants. Ils se mettent à courir, à sauter ou à « chanter » pour vous distraire et ils y réussissent trop souvent.

Félicitez-les avec effusion une seconde après qu'ils ont obéi à un ordre.

Le Rottweiler

Points positifs. Ces animaux sont parmi les meilleurs chiens de garde du monde. Elevés en vue de ce travail, ils s'en acquittent très bien. La vie de famille leur convient, Ils ont un tempérament égal et sont excellents avec les enfants. Ayant été élevés avec grand soin, ils tolèrent les jeux turbulents des enfants et même des adultes. Ces chiens obéissent très bien au dressage et supportent d'être corrigés. Si vous voulez un chien très obéissant et qui vous protège bien, c'est certainement la race qui vous convient. Ces bêtes puissantes, au port majestueux, sont très belles à voir.

Points négatifs. Les Rottweilers sont entêtés. Ils doivent être menés par une main d'homme robuste et autoritaire. Leur entêtement est semblable à celui de certaines races de chiens de chasse.

Problèmes particuliers de dressage. En raison de cet entêtement, il faut beaucoup de travail pour leur apprendre chacun des ordres. Mais le résultat en vaut la peine. Ils apprennent bien et finissent par obéir à la perfection. Le problème est de surmonter cet entêtement. Pour chacun des ordres vous devez mener un véritable combat. Quand vous leur apprenez « Suis-moi », ils essaient, en tirant, de vous désarticuler le bras. La seule solution est une correction énergique chaque fois que le chien néglige d'obéir. Pour l'ordre « Suis-moi », placez le collier coulissant très haut sur le cou de l'animal pour qu'il sente bien votre correction. Ces chiens, heureusement, supportent très bien d'être corrigés. Félicitez-les avec effusion dès qu'ils obéissent à un ordre donné.

Le Saint-Bernard

Points positifs. Le Saint-Bernard est l'animal le plus amusant du monde. Il convient exceptionnellement bien aux enfants. Ces chiens sont doux et se trouvent très bien à la campagne. Ils supportent le grand froid pendant des heures. Malgré leur taille, ils vivent bien en ville et en appartement. Ils réagissent très bien au cours d'obéissance. Désireux de faire plaisir, ils supportent une bonne correction sans dommage. Tendres, affectueux et assez passifs, ils conviennent aux personnes âgées. Ils ne sont ni inquiets ni nerveux et, en raison de leurs dispositions nonchalantes, ils s'accommodent d'un petit appartement.

Points négatifs. Ces chiens bavent ; l'écume leur jaillit continuellement des babines. Cela peut vous être désagréable, selon que vous tolérez plus ou moins les chiens comme animaux de chair et d'os. Cela peut aussi être ruineux si vous possédez des meubles et des tapis de grand prix. En permanence, ils perdent abondamment leur poil. Ces animaux énormes mangent chaque jour une grande quantité de nourriture et il vous faut être prévenu.

Problèmes particuliers de dressage. Néant. Apprenez-leur chacun des ordres et ils obéiront très bien. Certains de ces chiens sont plus expansifs que d'autres. Plus l'animal est nonchalant, moins il est désireux de faire plaisir. La réciproque est également vraie. En choisissant un chiot, essayez de prendre le plus dégourdi de la portée, il réagira mieux au cours d'obéissance. Quel que soit le chiot que vous preniez, vous verrez que vous n'aurez pas de difficulté à l'habituer à se soulager à l'extérieur ; ces chiens sont très propres. Ne les corrigez pas avec excès. Une correction suffit à ces élèves pleins de bonne volonté. Félicitez-les avec effusion dès qu'ils obéissent.

Le Samoyède

Points positifs. Les Samoyèdes sont parmi les plus beaux chiens du monde. Ils ont une fourrure blanche, pure, majestueuse, sur laquelle ne se détachent que la truffe noire et les yeux sombres en amande. Ce sont de bons chiens pour la campagne, surtout en hiver. Leur fourrure épaisse leur permet de supporter les climats les plus rigoureux. Ils obéissent bien au dressage et sont excellents avec les enfants. Ces chiens robustes, pèsent entre vingt-cinq et trente kilos et supportent facilement d'être rudoyés par un enfant turbulent. Ils sont accommodants et, comme ils n'ont pas besoin de beaucoup d'exercice, ils se trouvent bien en ville.

Points négatifs. Ces animaux sont très têtus. Ils se révoltent quand on les laisse seuls, d'où leur tendance à tout lacérer. Il est difficile de les habituer à se soulager à l'extérieur. Apprendre à un de ces chiens à obéir à un ordre, entraîne, chaque fois, une lutte entre lui et vous. A la fin, il fera votre volonté, mais vous devrez lutter pour en arriver là.

Les Samoyèdes ont besoin de beaucoup d'entretien. Ils perdent leur poil en abondance, et si l'on ne prend pas soin de leur pelage blanc, leur beauté disparaît.

Problèmes particuliers de dressage. Vous devez employer un collier coulissant métallique pour corriger le chien énergiquement, mais il faut enlever ce collier dès la fin de chaque séance de dressage car il abîmerait le pelage. On peut également se servir d'un collier coulissant en cuir.

Le principal problème de dressage est d'habituer ces chiens à se soulager à l'extérieur, et de les empêcher de tout détruire dans la maison à coups de dents. Si vous vous montrez très patients, les Samoyèdes finiront par obéir au dressage. Il vous faut être ferme pour réussir. Pour les dresser, il faut un homme autoritaire et robuste. Ils sont extrêmement têtus. Les corrections ne peuvent rien contre leur tendance à tout lacérer. (Voir chapitres 13 et 14, « Problèmes du chiot et du chien adulte » et « Problèmes particuliers au chien adulte ».)

Félicitez votre chien à voix basse dès qu'il vous obéit.

Le Schnauzer géant

Points positifs. Le Schnauzer géant est une des trois variétés de Schnauzers. Le Schnauzer normal et le Schnauzer nain sont presque identiques au géant, sauf pour ce qui est de la taille ; on a créé les Schnauzers géants en Bavière, à partir du Schnauzer normal, pour leur faire garder le gros bétail. Depuis lors ils réussissent très bien comme chiens de garde en Allemagne.

Ce sont de grandes bêtes puissantes, et s'ils sont destinés à vivre avec des personnes âgées, ce qu'ils peuvent très bien faire, il est essentiel de les dresser. Ils font de bons chiens de garde et de bons camarades pour les enfants. Ils s'accommodent de la ville comme de la campagne et ne sont pas trop exubérants. Ils possèdent une nature douce et un tempérament bon et égal. Ayant le poil court, ils ne nécessitent pas beaucoup d'entretien.

Points négatifs. Très indépendants, ces chiens passent parfois pour entêtés. Mais beaucoup de maîtres aiment cette caractéristique qui ne devrait donc pas être considérée comme négative ; tout dépend de l'attitude et des goûts de chacun.

Problèmes particuliers de dressage. Adaptez vos efforts au tempérament de votre chien. S'il est hyperémotif, ne soyez pas aussi sévère que vous le seriez normalement. S'il est très entêté, il faut vous montrer très ferme. S'il s'agit d'un représentant typique des Schnauzers géants, vous n'avez qu'à lui montrer ce qu'il faut faire et il le fera moyennant un minimum de corrections. Félicitez-le avec effusion dès qu'il obéit. Ce sont de beaux animaux avec lesquels il est très agréable de travailler et qui obéissent très bien au dressage.

Le Schnauzer normal et nain

Points positifs. Ces deux variétés obéissent très bien au dressage. A l'exception de la taille, la différence entre elles est minime. Ces chiens supportent très bien les corrections. Ils sont admirables pour toute la famille. Très expansifs et affectueux, ils tolèrent les jeux des enfants turbulents.

Ces animaux robustes font merveille en ville. Ils sont agressifs dans le bon sens du terme. On peut les laisser seuls pendant des heures sans qu'ils s'attristent ou s'ennuient. Très sensibles aux marques d'affection, ils ne demandent qu'à faire plaisir. Plus vous leur témoignez de l'affection, plus ces chiens vous obéissent. Issus de chiens employés comme auxiliaires de l'homme, ils se montrent intrépides et sont des chiens de garde aux perceptions aiguës.

Points négatifs. Ils ont l'entêtement dans le sang. Quand ils veulent faire quelque chose, il est difficile de les en empêcher. Ce sont des animaux très volontaires.

Problèmes particuliers de dressage. Pour quelque raison inexplicable, un grand nombre d'entre eux n'ont pas grande envie de marcher. Ils restent immobiles avec obstination et plus vous tirez, plus ils vous résistent. En tirant sur le collier, vous étranglez littéralement le chien, si bien que plus vous tirez, plus il devient combatif. Si le cas se présente, le mieux est de vous mettre à genoux et de le cajoler pour qu'il consente à avancer, en lui prodiguant les bonnes paroles et les félicitations. Cela est efficace. Il faut de la patience. Trop d'autorité nuit au succès du dressage. Vous devez lui montrer ce qu'il faut faire avec patience et affection.

« Couché » est l'ordre qui offre le plus de difficultés pour ces chiens ; assurez-vous qu'ils exécutent bien « Assis » » « Reste là » et « Suis-moi » avant de leur apprendre « Couché ». Cependant, ils obéissent aux autres ordres sans hésiter. Soyez ferme en les corrigeant, mais immédiatement après, félicitez-les beaucoup. Félicitez votre chien avec effusion dès qu'il obéit à un ordre.

Le Terre-Neuve

Points positifs. Ces chiens expansifs comptent parmi les plus accommodants et les plus sensibles. Ils sont aimables, affectueux et conviennent très bien aux enfants, dont ils acceptent les mauvais traitements. Les Terre-Neuve aiment jouer. Ils ne manifestent ni colère ni mauvaise humeur aux enfants turbulents. Ils sont merveilleux dans le cercle de famille et prospèrent à la campagne. Leur pelage est si épais qu'ils supportent allégrement les températures les plus froides. En ville, ils s'accommodent facilement de la vie en appartement parce qu'ils sont nonchalants à l'intérieur. La plupart des chiens de grande taille préfèrent passer la journée à dormir ou à rester immobiles alors que les races plus petites et plus remuantes aiment à courir et à sauter. Pour cette raison, les Terre-Neuve sont d'excellents compagnons pour les personnes âgées. Ce sont, tout à la fois, des compagnons, des gardiens, des camarades de jeu et des amis fidèles.

Points négatifs. Ces très gros chiens ont besoin de grandes quantités de nourriture et ne vous feront pas faire d'économies.

S'ils conviennent bien à la vie urbaine, il est peu commode de les garder dans un appartement minuscule.

Problèmes particuliers de dressage. Ne traitez pas ces animaux durement pendant le dressage. Très sensibles, ils deviendraient craintifs et ombrageux si vous les corrigiez trop. Bien qu'un collier coulissant métallique soit nécessaire pour le dressage, il faut le retirer dès la fin de chaque séance. Le collier coulissant métallique abîme le pelage des chiens à long poil.

Quand vous leur apprenez à obéir à l'ordre « Suis-moi », ou à tout autre ordre fondamental, prenez le temps de leur montrer ce qu'il faut faire, même si de nombreuses répétitions sont nécessaires. Mieux vaut recommencer l'exercice qu'exécuter trop de tractions brusques du collier. Ce n'est pas parce qu'ils sont de si grande taille qu'ils doivent être corrigés avec sévérité. Vu leur extrême sensibilité, il faut les traiter avec douceur. Ils sont très désireux de faire plaisir, ce qui rend inutiles les corrections sévères. Félicitez-les avec effusion dès qu'ils obéissent.

Ces chiens mettent longtemps à réagir à des ordres tels que « Assis » et « Couché ». Mais ils finiront par le faire comme il faut. Soyez patient. Donnez-leur le temps d'obéir, puis, soyez prodigue de félicitations. On réussit à dresser cette race avec beaucoup d'amour et d'affection.

LES TERRIERS

L'Airedale

Points positifs. Du point de vue physique, ce sont peut-être les meilleurs terriers. Ils sont grands, dignes, au maintien austère et majestueux. Ce sont d'excellents chiens de garde. Protecteurs jaloux du foyer dans lequel ils vivent, ils font beaucoup de bruit quand un intrus franchit le seuil. Intrépides dans la lutte, ils ne battent jamais en retraite. Excellents en famille, ils réagissent très bien au dressage en raison de leur tempérament égal et de leur vivacité. Ces chiens remarquables sont merveilleux à la campagne, surtout à cause de leur talent de chasseurs. En outre, ils s'accommodent de la ville et s'entendent bien avec les enfants. Pour entretenir leur poil rude et dur, il suffit de les brosser tous les jours.

Points négatifs. Comme tous les terriers, ils sont très têtus, volontaires et indépendants. S'ils n'ont pas été dressés à obéir par quelqu'un d'énergique, leur compagnie n'est pas très agréable. Si on les gâte, ils essaient de faire la loi à la maison. Certains d'entre eux se montrent difficiles pour la nourriture.

Problèmes particuliers de dressage. Ce sont de très bons compagnons. Ils réagissent toujours très bien au dressage et sont très éveillés. Ils sont désireux de faire plaisir. On évite la plupart des problèmes en commençant le dressage de bonne heure, en leur apprenant ce qu'on attend d'eux, en exigeant qu'ils obéissent à chacun des ordres donnés. Félicitez-les avec effusion dès qu'ils exécutent un ordre. Si vous laissez passer un an ou un an et demi avant de commencer le dressage, vous vous préparez de nombreux problèmes.

Le Bedlington

Points positifs. Cette race peu commune a un aspect insolite, le poil gris-bleu est frisé sur la tête et la face et forme une huppe, signe distinctif de la race. Pour le profane, ce chien ressemble à un agneau. On ne le voit guère que chez quelque vrai amateur ou dans les ventes expositions.

Ces chiens donnent à leur maître l'occasion de répondre à toutes sortes de questions que posent de nombreux admirateurs non-initiés. Contrairement à d'autres terriers, les Bedlingtons ne sont ni très agressifs ni très fougueux. Fort accommodants, ils s'adaptent à la ville. Ils conviennent aussi bien aux personnes âgées qu'aux enfants.

Points négatifs. Comme tous les terriers, le Bedlington est entêté. A chacun de décider si ce trait est à considérer comme négatif ou non.

Problèmes particuliers de dressage. Avec ces chiens têtus et volontaires, il convient de se montrer ferme pour toutes les corrections. Faites cependant preuve de patience pendant la période du dressage. Accordez-leur beaucoup de temps pour apprendre chacun des ordres avant de commencer à les corriger. Félicitez-les avec effusion deux secondes après qu'ils ont obéi.

Les Bedlingtons vous mettent souvent à l'épreuve ; aussi ne devez-vous pas craindre de les corriger. Ce sont de petits chiens robustes qui supportent d'être corrigés dans des limites raisonnables ; il s'agit de ne pas exagérer.

Le Bull-terrier

Points positifs. On admet que le Bull-terrier est issu du croisement du Bouledogue avec le Terrier anglais blanc, race maintenant éteinte, avec adjonction, par la suite, du Pointer espagnol. Certains comparent ce chien aux silhouettes gravées sur les monuments égyptiens.

Ceux qui connaissent bien cette race savent qu'il s'agit d'animaux sociables, affectueux et d'un bon naturel. Ceux qui en possèdent ou en ont possédé vous diraient que ce sont des bêtes magnifiques. Ces chiens pleins de vie font merveille avec les enfants et s'accommodent bien d'un appartement. En raison de leur vivacité, ils sont aussi excellents à la campagne. Ils sont doux et leur poil court ne nécessite que très peu d'entretien.

Points négatifs. Le premier venu ne peut pas posséder un Bull-terrier. Nous vous conseillons de bien vous familiariser avec cette race, d'une manière directe, avant de fixer votre choix. (Le général Patton s'éprit de cette race pendant la deuxième guerre mondiale.) Ces animaux sont entêtés comme tous les terriers, mais beaucoup d'amateurs considèrent cela comme de l'indépendance et donc comme un point positif.

A l'origine, les Bull-terriers étaient élevés pour les combats d'arènes, ce sport étant en honneur parmi les gens distingués au XIXᵉ siècle. L'instinct de combattant a survécu aux combats eux-mêmes. Ces animaux sont de bons chiens de garde ; mais une fois qu'ils ont été dressés pour cela, ils risquent d'infliger des blessures mortelles en accomplissant leur devoir, et cela est à considérer avant de leur confier ce travail.

Problèmes particuliers de dressage. Bien que désireux d'apprendre, ces chiens sont têtus comme tous les membres de la famille des terriers. Ils s'opposent à chacun des ordres que vous essayez de leur faire exécuter. Seules la patience et la fermeté viennent à bout de cet entêtement. Prenez votre temps pour chacun des ordres, mais que votre chien sente bien que le maître, c'est vous. Félicitez-le avec effusion dès qu'il obéit.

Le Cairn

Points positifs. Ces chiens petits mais puissants sont d'origine écossaise. En dépit de leur petite taille, on les a élevés pour en faire de bons chasseurs. Leur instinct les porte à chasser et ils éliminent très bien les parasites. Dans le film *Le Sorcier d'Oz*, le chien du personnage joué par Judy Garland est précisément un terrier Cairn. Ce sont des animaux aimables et dévoués. Ils ont de bonnes relations avec les enfants et les personnes âgées. Ils s'accommodent de la ville comme de la campagne et sont d'excellents compagnons. Leur poil dur nécessite très peu d'entretien.

Points négatifs. Néant.

Problèmes particuliers de dressage. Comme presque tous les terriers, ils sont agressifs et têtus, ce qui en fait de petits animaux tenaces et batailleurs. Vous devez être ferme. Commencez à les dresser à l'âge de quatre mois au plus tard. Ne vous servez pas du collier avec excès pour corriger un très jeune chien, quel qu'il soit. Soyez doux et patient. Félicitez l'animal avec effusion dès qu'il obéit.

Le Dandie Dinmont

Points positifs. C'est Sir Walter Scott qui a ainsi baptisé ce chien peu commun. Dans *Guy Mannering*, une de ses œuvres romantiques sur l'Ecosse, Dandie Dinmont, l'un des personnages, possédait six de ces petits terriers. Le succès du roman en 1815 fit connaître, sous le nom de Dandie Dinmont, cette race qui avait déjà été immortalisée par Gainsborough, lorsque en 1770, il en avait fait figurer un très beau dans son portrait du troisième Duc de Buccleuch. Autrefois, chien de chasse recherché en Ecosse, et en Angleterre, le Dandie Dinmont a gardé toutes les qualités d'un chien excellent pour la vie de famille. Il jappe beaucoup, ce qui le qualifie pour la garde. Il est merveilleux pour les enfants et les personnes âgées et sa taille convient parfaitement à un appartement.

Points négatifs. Néant.

Problèmes particuliers de dressage. Ces chiens risquent de devenir entêtés si on ne les dresse pas de bonne heure. Le dressage doit commencer à l'âge de quatre mois au plus tard. Un jeune chien, quel qu'il soit, ne doit pas être corrigé avec excès par la traction brusque du collier. Soyez doux et patient. Félicitez votre chien avec effusion dès qu'il obéit.

Le Fox-terrier, à poil dur et à poil lisse

Points positifs. Ces petits chiens, parmi les plus répandus au monde, sont très robustes et réagissent très bien au dressage. Ils acceptent qu'on les corrige sans en être troublés. Les Fox-terriers s'adaptent à la ville et aiment faire de longues promenades. Une fois dressés, ils ne tirent pas sur la laisse, sont faciles à diriger, et ne deviennent pas ombrageux. Bien que fougueux, ils conviennent très bien aux enfants et aux personnes âgées. Peu encombrants, on peut les faire voyager facilement. Ils se distinguent par leur caractère expansif et leur besoin d'affection et de tendresse.

Points négatifs. Les Fox-terriers jappent continuellement. Ils sont inquiets, nerveux et parfois agressifs. Dignes représentants de notre époque, ils ne savent pas se détendre. Ils semblent souffrir d'hypertension.

Problèmes particuliers de dressage. Ils sont si petits et si affectueux qu'on les gâte en leur passant tous leurs caprices. Le maître a tendance à les choyer au point que tout dressage devient impossible. Ainsi gâtés, ils deviennent entêtés et volontaires. Vous devez garder votre sang-froid avec cette race et imposer une discipline stricte, surtout pendant la période du dressage. N'employez pas de collier coulissant. Un collier en cuir ou en nylon suffit. Il faut corriger avec fermeté, mais sans sévérité. Une énergique correction orale, accompagnée d'une légère traction du collier fera l'affaire. Félicitez votre chien à voix basse, quatre ou cinq secondes après qu'il a obéi à un ordre. L'empêcher de tout lacérer et l'habituer à se soulager à l'extérieur posent de difficiles problèmes. Nous conseillons de commencer le dressage de bonne heure, quand l'animal a trois mois.

Le Kerry Blue

Points positifs. Ces chiens incarnent le paradoxe typique du monde des chiens de race. Créatures rares, élégantes et bien soignées, que l'on ne voit pas souvent en dehors des expositions, ils n'ont rien dans leurs antécédents qui suggère la distinction des présentations canines. Originaires des régions accidentées du Kerry, un des comtés de l'Irlande, ces chiens veillaient sur les troupeaux de moutons ou de vaches, rapportaient le gibier et tuaient rats, blaireaux et lapins. Et cependant, ils sont maintenant en ville les symboles par excellence de réussite sociale et d'élégance.

En dépit de cela, ce sont de très bons compagnons et chiens d'intérieur. Ils s'attachent aux personnes âgées et aiment les jeux turbulents des enfants. Robustes et protecteurs, ce sont de bons chiens de garde. Avec leur pelage frisé bleu-noir, ils sont d'une beauté sans pareille. Beaucoup de femmes comparent ce pelage à de l'astrakan. Ils ne perdent jamais leur poil.

Points négatifs. Ces chiens sont parmi les plus entêtés de tous les terriers. Ils manifestent aussi beaucoup d'agressivité envers les autres chiens contre lesquels ils sont toujours en train de se battre ; on doit les mener d'une main ferme. Seules les femmes qui sont vraiment décidées à être continuellement énergiques devraient envisager l'acquisition d'un de ces chiens. On ne doit leur passer leurs caprices sous aucun prétexte ; ils abusent de ceux qui les gâtent.

Problèmes particuliers de dressage. Pour cette race, l'emploi du collier coulissant est absolument indispensable ; vous devez en user énergiquement en faisant exécuter au chien chacun des ordres. Il supporte bien les corrections et doit comprendre que vous attendez de lui du travail sérieux. Félicitez-le avec effusion dès qu'il obéit.

L'ordre « Couché » est le plus difficile. Il ne veut pas y obéir. Il faut un supplément de patience et de temps. Multipliez les leçons : le rythme de deux par jour pendant une semaine n'est pas excessif. Donnez-lui autant de leçons qu'il faut pour qu'il apprenne à obéir à cet ordre convenablement. Soyez patient et ferme. Nous vous recommandons de choisir pour le dressage un endroit qui n'offre pas de distractions. Cela facilitera votre travail et celui du chien.

Le Scottish-terrier

Points positifs. Selon la légende, le Scottish-terrier est l'ancêtre de tous les terriers écossais et anglais. Bien qu'on ne puisse le prouver, beaucoup de propriétaires de ces chiens jurent qu'il en est bien ainsi. Ces petits animaux au dévouement inébranlable sont très à la mode aux Etats-Unis. Il y en a eu un à la Maison Blanche pendant la longue période où elle fut occupée par Franklin Roosevelt.

Très affectueux, ce sont d'excellents compagnons et chiens d'intérieur. Ils conviennent à la ville comme à la campagne. Peu encombrants et de tempérament égal, ils sont parfaits pour les enfants et les personnes âgées.

Points négatifs. Ils n'aiment pas qu'on les laisse seuls livrés à eux-mêmes, ce qui peut poser des problèmes aux maîtres qui doivent aller travailler tous les jours. D'autre part, il est difficile de les habituer à se soulager à l'extérieur. Comme tous les terriers ils sont têtus.

Problèmes particuliers de dressage. Pour habituer le Scottish-terrier à se soulager à l'extérieur, il faut beaucoup de temps et de patience. Vous devez surveiller votre chien constamment et, dès qu'il commence à salir, vous devez le surprendre à l'aide de la boîte (voir chapitre 2), dire « Non » d'une voix ferme et l'emmener dehors tout de suite. A part cela, le chien réagit très bien au dressage et n'a pas de problème particulier. Félicitez-le avec effusion dès qu'il obéit à un ordre.

Le Sealyham

Points positifs. On peut à peine croire que ce chien élégant, que l'on voit dans les expositions avec son beau pelage blanc, était à l'origine destiné à tuer les parasites. Le Sealyham vient du pays de Galles et porte le nom de la propriété de celui qui l'a créé. Le Sealyham est passé maître dans l'art d'exterminer les blaireaux, les loutres et les renards. C'est certainement à ses origines qu'il doit son instinct pour la garde, tâche où il excelle car il sait bien reconnaître les amis des ennemis.

A la maison, plus que tout autre chien, il est affectueux et loyal. Il réagit très bien au dressage et est très désireux de faire plaisir. C'est un excellent camarade pour les enfants dont il aime partager les jeux et dont il accepte les mauvais traitements. Cette race n'est pas très commune.

Points négatifs. Le seul aspect défavorable de cette race est celui de tous les terriers : l'entêtement.

Problèmes particuliers de dressage. L'ordre le plus difficile pour ces chiens est « Couché ». Il faudra beaucoup de patience et d'effort, vous devrez bien encourager et féliciter l'animal. Accompagnez votre ordre de beaucoup de démonstrations affectueuses. Si vous vous contentez de le corriger par une traction brusque du collier quand tout ne va pas comme vous le souhaiteriez, vous vous préparez des difficultés. Comme la plupart des terriers, le Sealyham vous mettra à l'épreuve pour savoir jusqu'où il peut aller impunément. Soyez ferme. Employez un collier coulissant que vous enlèverez cependant après la séance de dressage, sinon le poil du cou s'abîmerait. Félicitez ce chien avec effusion dès qu'il obéit.

Le Terrier blanc, West Highland

Points positifs. Beaucoup d'amateurs de chiens le considèrent comme le meilleur de tous les terriers. Ce sont ces petits animaux qui ont certainement servi de modèles pour ces chiens en peluche vendus dans les luxueux magasins de jouets. Ils comptent parmi les chiens qui s'accommodent le mieux de la vie en appartement. Peu encombrants mais cependant robustes, ils sont très intelligents et fidèles jusqu'à la mort. Leur caractère est excellent et ils conviennent parfaitement aux enfants et aux personnes âgées. Ils sont doux, obéissants et beaux.

Points négatifs. Néant.

Problèmes particuliers de dressage. Ils ne partagent pas l'entêtement caractéristique de la plupart des terriers. Il suffit de leur montrer ce qu'il faut faire pour qu'ils le fassent. Félicitez-les avec effusion dès qu'ils obéissent à un ordre.

LES BICHONS

Le Bichon maltais

Points positifs. De tous les bichons, les Maltais sont sans doute les plus brillants, les plus obéissants, et les plus beaux. Originaires de l'île de Malte, ce sont les aristocrates du monde des chiens depuis vingt-huit siècles. Au cours de l'histoire ancienne et moderne, ils ont toujours été associés à la culture, la richesse, la puissance. Ce sont vraiment les princes du monde canin.

Ils ont un long poil soyeux, fin et du blanc le plus pur. Catalogués officiellement comme épagneuls, il se peut, en fait, qu'ils tiennent du terrier, à en juger par leur instinct de chasseurs. Pareils à de délicates statuettes de porcelaine, ces chiens gracieux, se pavanent de pièce en pièce, rapides comme le dieu Mercure. Leur petite taille est trompeuse, car ils sont robustes, pleins d'énergie, et doués d'un solide appétit. Ils sont propres, raffinés et fidèles. Merveilleux pour les personnes âgées, ils conviennent parfaitement à un appartement. Connues des Phéniciens, des Grecs et des Romains, ces belles créatures sont célèbres dans l'histoire pour la douceur de leur tempérament.

Points négatifs. C'est la race que l'on a le plus tendance à choyer et à gâter ; aussi ces chiens sont-ils anxieux et attendent-ils tout de leur maître. Leur entretien représente un gros travail. Si on néglige, ne serait-ce que pendant un temps très court, leur long poil blanc, son entretien peut devenir un cauchemar. Les poils s'emmêlent et sont tachés par les sécrétions des yeux. Des soins quotidiens et astreignants sont nécessaires si l'on veut que le chien soit toujours beau.

Problèmes particuliers de dressage. Ne vous servez jamais d'un collier coulissant pour ces chiens très délicats.

Il est difficile de les habituer à se soulager à l'extérieur. Comme ils sont si petits, généralement on leur apprend à le faire sur des journaux. Cependant au bout d'un certain temps, ils risquent de s'oublier là où ils ne devraient pas. Si vous voulez qu'un chien habitué aux journaux change ses habitudes pour se soulager à l'extérieur, vous aurez beaucoup de difficultés. Dans l'un ou l'autre cas, il faut surveiller le chien de près et continuer le dressage jusqu'à ce que tout se passe bien. Le mieux serait de choisir l'une des deux techniques, de dresser le chien en conséquence, et de ne pas en changer.

Félicitez votre chien avec effusion dès qu'il obéit à un ordre.

Le Caniche bichon

Points positifs. C'est la plus petite des différentes variétés de caniches. Beaucoup de gens désireux d'acquérir un chien attachent surtout de l'importance à la taille. Comme le nom l'indique, ces animaux sont tout petits, ils n'ont pas plus de vingt-cinq centimètres. Il faut remarquer que tous les caniches se ressemblent en tous points, la taille exceptée. (Voir « Caniche, moyen et nain » dans le 6ᵉ Groupe). Très affectueux, ils sont excellents pour les personnes âgées. Ils conviennent aussi aux enfants, mais peut-être ceux de grande taille supportent-ils mieux la brutalité de leurs jeux. Cas unique parmi les chiens : les caniches n'ont aucun effet sur les personnes qui souffrent d'allergies. Ils sont très doux et tendres comme nous souhaiterions que le soient tous les chiens. Ils comptent parmi les meilleurs.

Points négatifs. Généralement gâtés par leur maître, ils deviennent têtus et ont tendance à trop japper. Ils se mettent à aboyer à la moindre occasion et se font insistants pour avoir ce qu'ils veulent. Cela se produit seulement quand le maître les traite comme il traiterait ses propres enfants.

Problèmes particuliers de dressage. Il faut obliger les Caniches bichons à obéir à chacun des ordres donnés. Si on leur cède comme à des enfants gâtés, il devient impossible de les dresser. Il s'agit de les traiter comme des animaux et non comme des enfants. Cependant, n'employez pas de collier coulissant pour ces petits chiens trop délicats. Félicitez-les avec effusion dès qu'ils obéissent.

Le Carlin

Points positifs. Se peut-il qu'on tienne pour beau un chien à la face épatée, au corps petit et massif, et qui a des bourrelets autour des épaules ? Posez cette question à n'importe quel propriétaire de Carlin. Ces animaux n'ont pas besoin d'être dorlotés, ils se sont habitués à remplir certaines tâches que l'on n'attend pas de la part des bichons. Ils sont affectueux tout en restant calmes et dignes. Comme ils aiment la compagnie d'autres chiens, de nombreux maîtres gardent deux Carlins à la fois. Ces bêtes s'adaptent très bien à la ville et sont de merveilleux compagnons pour toute la famille. Leur poil court nécessite peu d'entretien.

Points négatifs. Ils s'essoufflent vite, leur respiration courte ressemble à celle des asthmatiques et il s'ensuit qu'on ne peut les laisser dans une voiture fermée, même si on a quelque peu baissé les vitres, ils suffoqueraient. Si vous êtes destiné à voyager fréquemment, ne prenez pas un de ces chiens.

Problèmes particuliers de dressage. N'employez jamais de collier coulissant pour cette race. A cause des problèmes de respiration, les séances de dressage doivent être très courtes. La leçon ne durera pas plus de cinq minutes et l'on ne corrigera pas trop le chien. Vous pouvez donner deux leçons de cinq minutes en l'espace d'une heure.

Pour le dressage, choisissez un endroit sans distractions ; il faut, en effet, éviter autant que possible d'avoir à corriger ce chien. Soyez doux et patient. Félicitez-le à voix basse trois secondes après qu'il a obéi.

Le Chihuahua, Terrier mexicain

Points positifs. Ce qui frappe d'abord chez cette race, c'est la taille. Ceux qui ne veulent pas d'un animal de grande taille et qui souhaitent tout de même avoir un chien, adopteront une de ces créatures minuscules, au crâne arrondi et qui pèse de un demi-kilo à trois kilos.

Les plus petits tiennent dans la poche de votre veste ou dans un sac de femme. C'est Xavier Cugat et son orchestre sud-américain qui a fait faire au grand public la connaissance de ces créatures délicates. Dans la plupart de ses films, ce chef d'orchestre connu tenait le chien dans ses bras pendant qu'il travaillait. C'est ce qui a contribué à mettre cette race à la mode. Petits et faciles à gouverner, ces chiens sont peut-être ceux qui conviennent le mieux aux personnes âgées.

Points négatifs. La plus grande difficulté est sans doute l'orthographe du mot Chihuahua. Ces chiens sont affectueux mais ne s'intéressent pas à plus de deux personnes. Etant si choyés et gâtés (les maîtres les portent partout avec eux), tout détail insolite les inquiète et les effraie ; aussi ne s'approchent-ils vraiment de personne d'autre que de leur maître. Les chiens manifestent souvent leur crainte en devenant agressifs ; ce peut être le cas des Chihuahuas.

Problèmes particuliers de dressage. Le dressage est très difficile et doit se faire avant l'âge de cinq ou six mois ; ensuite il est à peu près inutile d'essayer de dresser ces chiens ; il est vrai qu'ils n'ont guère besoin de savoir obéir à des ordres tels que « Suismoi ».

Félicitez-les avec effusion dès qu'ils obéissent.

Le Pékinois

Points positifs. A la manière des collectionneurs d'objets rares venus d'Orient, les propriétaires de Pékinois aiment à évoquer tout ce que cette race suggère de mystérieux et de fantastique. Déjà à l'époque de la dynastie Tang, on préservait la pureté de cette race de chiens élevés par la famille impériale de Chine ; le voleur d'un de ces « chiens sacrés » était passible de la peine de mort. Les Pékinois, descendants de ceux qui entouraient les familles régnantes d'Orient, sont plus connus des amateurs de chiens que leurs ancêtres ne l'étaient des paysans chinois. Ces chiens à l'aspect insolite font d'excellents compagnons et s'accommodent très bien d'un appartement. Ils conviennent aux enfants mais mieux encore aux personnes âgées.

Points négatifs. Leur long poil soyeux nécessite beaucoup d'entretien : attendez-vous à passer une grande partie du temps la brosse à la main. Ils sont très têtus, et certains fort bruyants quand la sonnerie de la porte retentit.

Problèmes particuliers de dressage. Pour les dresser, la douceur est essentielle. Vous ne devez jamais employer de collier coulissant. Les Pékinois sont très désireux d'apprendre mais ils sont sensibles aussi ne faut-il pas les corriger trop énergiquement. Félicitez votre chien avec effusion dès qu'il obéit. Si vous prenez le temps de lui apprendre les ordres fondamentaux, vous aurez toujours un compagnon obéissant et discipliné.

Eu égard à la taille, nous recommandons de dresser ce chien à se soulager sur des journaux plutôt qu'à l'extérieur.

Le Terrier à poil soyeux, Silky Terrier

Points positifs. Ces chiens sont tendres, affectueux et expansifs. Ce sont de véritables chiens de salon, bien qu'en Australie, leur pays d'origine, on les ait utilisés pour la chasse au rat et au serpent. Peu encombrants, ils voyagent sans problème. Ce sont aussi de merveilleux compagnons dans un appartement exigu. Petits mais très robustes, ils supportent bien les mauvais traitements des enfants et conviennent à toute la famille.

Points négatifs. Comme la plupart des terriers, ils sont têtus. Les habituer à se soulager à l'extérieur est difficile. Leur long poil soyeux nécessite un entretien constant et minutieux que l'on peut éviter en partie, en gardant le chien à l'intérieur.

Problèmes particuliers de dressage. N'employez pas de collier coulissant ; choisissez un collier et une laisse en cuir ou en nylon. Parfois impressionnables, ces chiens se laissent facilement distraire. Essayez de retenir leur attention. Au début, le dressage doit se faire dans une rue tranquille ou à la maison. Une fois qu'ils auront appris à obéir aux ordres donnés, vous pourrez les mener à l'extérieur, pour les faire travailler au milieu des bruits et des inconnus. En cas de désobéissance, il faut traiter leur entêtement avec fermeté. Félicitez-les à voix basse deux secondes après qu'ils ont obéi à un ordre. Commencez le dressage de bonne heure.

Le Terrier du Yorkshire

Points positifs. En tant que race, ces minuscules aristocrates ne remontent qu'à la fin du XIXᵉ siècle, mais ils ont été vite acceptés par les familles riches de l'époque victorienne. Ces petites créatures fougueuses plaisent encore aux amateurs de chiens qui se soucient de mode. Ce sont très souvent des chiens de salon, destinés à rehausser l'éclat social de leur propriétaire. Ils n'en sont pas moins de merveilleux compagnons pour les enfants et les personnes âgées. Membres de la famille des terriers, ils sont robustes et pleins de courage. Egalement à l'aise à la campagne et à la ville, ces chiens sont très intelligents.

Points négatifs. Il est difficile d'habituer les Terriers du Yorkshire à se soulager à l'extérieur. Ils ont cette tendance à l'entêtement qui prévaut chez la plupart des terriers. Leur long poil soyeux nécessite beaucoup d'entretien et une constante vigilance ; pour réduire cet entretien, beaucoup de gens gardent leur chien à l'intérieur.

Problèmes particuliers de dressage. Ces chiens sont exubérants et jappent beaucoup. Ils ont de la difficulté à obéir à l'ordre « Suis-moi ». Ils s'élancent d'un côté et de l'autre, vont en avant et en arrière quand on les mène en promenade. Il faut être ferme, exigeant, patient en leur apprenant cet ordre. Félicitez-les à voix basse deux secondes après qu'ils ont obéi.

Nous recommandons d'habituer directement ces chiens à se soulager à l'extérieur ; bien que ce soit difficile, le succès est encore plus problématique si on essaie de les habituer au papier journal. Ils continuent à s'oublier longtemps après la fin de ce dressage. Pendant qu'on les habitue à se soulager à l'extérieur, il est bon de les surveiller constamment et de leur faire faire de nombreuses promenades.

N'employez pas de collier coulissant : ces chiens sont trop délicats. Etant entêtés, ils doivent être dressés dès le plus jeune âge. Montrez-vous ferme et patient. Corrigez-les surtout de la voix plutôt qu'en tirant trop sur le collier. Parce qu'il les voit si petits et si précoces, le maître a tendance à les gâter et c'est alors qu'ils deviennent impossibles à dresser.

LES CHIENS D'AGRÉMENT

Le Bouledogue

Points positifs. Jusqu'en 1835, on a utilisé les chiens de cette race comme beaucoup d'autres, pour des sports cruels et en particulier pour les combats contre les taureaux, de sorte que ces animaux sont devenus durs et méchants. Cependant, depuis qu'ils ne participent plus à ces sports, les Bouledogues sont élevés à cause de leur physique imposant et de leur bonne nature. Il n'existe probablement pas de chien plus doux et au tempérament plus égal. Bien que les chiens que l'on peut voir communément aujourd'hui ne ressemblent en rien à leurs athlétiques ancêtres, ils en gardent l'énergie, l'intelligence et le courage. Ces animaux trapus, à la face épatée, aux bajoues pendantes, et au corps en forme de tonnelet sont tendres et affectueux, mais ils sont terribles pour les rôdeurs mal intentionnés. Les Bouledogues, qui aiment jouer, sont merveilleux pour les enfants dont ils supportent bien la brutalité. Ils conviennent à la campagne et à la ville. Ils réagissent très bien au dressage.

Points négatifs. Beaucoup de gens ne veulent pas de Bouledogues à cause de leur aspect. Le Bouledogue a l'air mesquin (bien qu'il ne le soit pas) et difficile à gouverner (ce qui n'est pas le cas). Ces chiens bavent, problème pour la maîtresse de maison pointilleuse. D'autre part, ils ont quelques difficultés à respirer.

Le Bouledogue, chien national anglais, n'a cependant pas les manières raffinées des Anglais comme il faut ; il mange salement et bruyamment. A moins de le dresser de bonne heure, il risque de devenir ingouvernable et de poser des problèmes.

Problèmes particuliers de dressage. Ces chiens possèdent une grande force physique et supportent les corrections les plus énergiques ; cependant comme ils sont de nature sensible, on ne doit pas les corriger avec excès. Ils peuvent être très têtus, il convient alors de les mener fermement. Le dressage doit commencer de bonne heure ; vous constaterez alors qu'ils sont des élèves de bonne volonté, sensibles aux corrections orales et aux félicitations. Attendez deux secondes après qu'ils ont obéi à un ordre avant de les féliciter sans trop d'effusion. Ils réagissent si bien au dressage que c'est presque sans effort qu'on leur apprend à obéir à un ordre. Une fois qu'ils ont compris qu'ils doivent vous obéir, ils le font et leur dressage est un plaisir.

Le Caniche, moyen et nain

Points positifs. Bien qu'originaire d'Allemagne, le Caniche est le chien national des Français. Le Caniche moyen et le Caniche nain ne diffèrent que par la taille. Le Caniche moyen a au moins trente-huit centimètres et le Caniche nain a entre vingt-cinq et trente-huit centimètres. Le Caniche moyen qui dépasse la taille indiquée ci-dessus porte officieusement l'épithète de royal.

Ces chiens sont intelligents, vifs, dignes et très élégants. Certains propriétaires préfèrent leur laisser pousser le poil, en dépit du fait que la plupart d'entre eux se conforment aux règlements des concours qui préconisent la tonte « continentale » ou la tonte « à l'anglaise ». Le poil des caniches ne provoque aucune allergie chez l'homme.

Pour ce qui est du nombre, le Caniche est probablement le chien le plus en vogue d'Amérique. Ces animaux sont très intelligents, brillants au dressage et très désireux de faire plaisir à leur maître. Ils conviennent à toute la famille. Ils s'entendent très bien avec les enfants et avec les autres animaux. Beaucoup de gens en gardent plusieurs à la fois. Ces chiens aiment vivre en ville. Dans les très grandes agglomérations comme New York et Chicago, ils sont signes de réussite sociale. Partout où ils vont, ils apportent l'air des boulevards de Paris.

Points négatifs. Ils sont tellement pomponnés et choyés que souvent ils sont gâtés par leur maître. Autrement, ils n'ont pas de trait défavorable.

Problèmes particuliers de dressage. Néant. Ces chiens sont brillants. Il suffit que vous leur montriez ce que vous attendez d'eux pour qu'ils le fassent. Félicitez-les avec effusion dès qu'ils obéissent.

Le Chow-chow

Points positifs. Ces chiens doivent leur nom à des circonstances très peu relevées. Quand s'établirent les premières relations commerciales avec la Chine, le mot « chow-chow » désignait, en pidgin-english, n'importe quel genre de babiole ou de bric-à-brac transporté dans les cales des bateaux britanniques qui revenaient en Angleterre. Faisaient partie de ces importations ces chiens rares et magnifiques déjà connus en Chine il y a deux mille ans. Ils se trouvaient pêle-mêle avec les statuettes en porcelaine et les gratte-dos en bambou ; c'était toute cette cargaison qu'on appelait chow-chow. Maintenant ce mot s'inscrit aussi sur l'étiquette de pots de variantes contenant un assortiment de plantes aromatiques. En dépit de ces origines peu relevées, ce chien a acquis une grande réputation dans tout le monde occidental ; partout on le considère comme un bon chien de garde. Fidèle aux traditions chinoises, il fait preuve très vite de sentiments loyaux et protecteurs à l'égard de la famille dans laquelle il vit. Ces qualités en font un chien de garde et compagnon idéal. Bien entretenus, les Chow-chows comptent parmi les chiens les plus beaux du monde. De plus ils réagissent très bien au dressage. Quand vous en aurez eu un, vous ne voudrez jamais plus changer de race.

Points négatifs. A cause de leur agressivité, ces chiens ne conviennent pas à tout le monde. A moins que vous n'opposiez à leur agressivité une fermeté correspondante, ils finiront par dominer toute la maison. Ce sont des chiens réservés et distants qui ne veulent pas de démonstration de sentiments dont ils n'ont que faire et qui ne cherchent pas à jouer. Leur langue bleu-noir et leur air renfrogné n'attirent pas l'affection des gens. Ils ne conviennent pas à ceux qui n'ont jamais eu de chien auparavant. Il leur faut, comme maître, un véritable amateur de chiens, c'est-à-dire une personne robuste et déterminée qui a déjà possédé plusieurs chiens.

Problèmes particuliers de dressage. On doit dresser ces chiens dès leur jeune âge, quand il est encore possible de bien les gouverner. Très éveillés, ils retiennent tout ce que vous leur apprenez. Cependant têtus, ils doivent être menés avec fermeté et vigueur. Félicitez-les avec effusion dès qu'ils obéissent.

Le Dalmatien

Points positifs. Ce chien qui porte le nom d'une province d'Autriche (aujourd'hui de Yougoslavie[1]) appartient peut-être à la race la plus ancienne qui n'ait subi aucun changement à travers les âges. De nombreuses régions du monde voudraient être reconnues comme le berceau de cette race. Cette mascotte du foyer a reçu de nombreux surnoms : le chien des diligences, le chien tacheté, etc... Aux Etats-Unis on l'appelle le chien du foyer.

Ces beaux animaux au pelage tacheté sont de bons compagnons à la ville et à la campagne. Ils sont obéissants au dressage et merveilleux pour les enfants dont ils supportent la brusquerie. Ils ont bonne mémoire et aiment à faire plaisir.

Points négatifs. Ils perdent leur poil en abondance et sont très têtus. La surdité affecte cette race ; un grand nombre de ces chiens naissent sourds. Avant d'acheter un chiot, il est bon de vérifier son ouïe. La consanguinité peut les rendre méchants et agressifs. Quelques-uns de ces chiens, particulièrement défavorisés par l'hérédité, ont mordu des enfants. Avant d'acquérir un Dalmatien, renseignez-vous sur ses antécédents.

Problèmes particuliers de dressage. Malgré leur entêtement, ces chiens sont obéissants et désireux de faire plaisir. Pour les dresser, il convient de procéder avec lenteur et fermeté. Apportez à ce dressage un supplément d'énergie à cause de leur tempérament impressionnable et inquiet. Vigueur et fermeté sont indispensables. Félicitez-les à voix basse trois secondes après qu'ils ont obéi à un ordre.

Le Keeshond

Points positifs. Natifs de Hollande, ces chiens de péniches ont atteint la notoriété, quand l'homme politique hollandais du XIXe siècle, Kees de Gyselaer a pris son propre chien comme symbole des classes moyennes et populaires. Ensuite cette race subit une éclipse parallèle à celle du parti de Kees de Gyselaer. Les Keeshonds, revenus à la mode au début du XXe siècle, sont reconnus comme chiens de race depuis 1933.

Vifs et intelligents, ce sont d'excellents compagnons qui ne

1. N. d. T.

veulent jamais quitter leur maître. Leur pelage fourni rappelle celui du loup. Ils sont très tendres et affectueux ; de tempérament égal, ils obéissent bien au dressage. Ni inquiets, ni distraits par la circulation, ils vivent très bien en ville. Ces animaux robustes s'entendent très bien avec les enfants et conviennent à toute la famille.

Points négatifs. Ils sont têtus mais sans excès.

Problèmes particuliers de dressage. Enlevez le collier coulissant sitôt la séance de dressage terminée ; sinon il abîmerait le poil du cou.

Appliquez les techniques du dressage fondamental, félicitez ces chiens, témoignez-leur beaucoup d'affection, faites-leur comprendre ce qu'ils doivent faire, et ils obéiront merveilleusement au dressage. Félicitez-les sans trop d'effusion deux secondes après qu'ils ont obéi à un ordre.

Le Lhasa Apso

Points positifs. Ce chien réunit un ensemble de qualités rares. Il est petit, courageux, robuste, vif, intelligent et très, très beau. Ce n'est pas un chien de salon, bien qu'il soit maintenant à la mode dans les appartements des grandes villes. C'est un animal ultra-élégant adopté par les gens distingués et les riches.

Ces chiens du Tibet sont tendres et affectueux. De petite taille, ils ne sont cependant pas fragiles comme la plupart des Bichons. Ils supportent d'être malmenés par les enfants dont ils sont de merveilleux compagnons. Ces chiens aux nombreuses qualités obéissent très bien au dressage. On les transporte facilement, on peut les amener n'importe où pour de longs voyages avec un minimum d'inconvénients. De tempérament égal, ils vivent bien en ville.

Points négatifs. Si on les bat, si on les corrige avec excès, ils deviennent agressifs et se mettent à grogner, renâcler et même à mordre. Si on les bat, ils mordent chaque fois que quelqu'un essaie de les toucher. L'entretien du pelage exige beaucoup de douceur ; il faut veiller à ne pas pincer le chien en brossant son long poil dur : si on lui fait mal, il se montre agressif. Bien entretenir son poil exige beaucoup de travail.

Problèmes particuliers de dressage. En commençant le dressage de bonne heure et en manifestant beaucoup de tendresse et d'affection, vous n'aurez aucun problème. Il ne faut jamais battre ces chiens ni les corriger avec sévérité. Si vous avez à dresser un Lhasa Apso qui a plus d'un an, vous devez faire preuve d'une grande patience et prendre votre temps en lui apprenant chacun des ordres. Félicitez-le avec effusion dès qu'il obéit.

Le Shitzu

Points positifs. Ce nom chinois signifie chien-lion. Certainement cousins du Lhasa Apso tibétain, ces bichons à long poil ne se sont affirmés que récemment aux Etats-Unis. Ils pourraient presque servir de véritables jouets pour des enfants soigneux et bien élevés. Ils conviennent excellemment aux personnes âgées. Le Shitzu est un chien très élégant que l'on voit dans les intérieurs les plus luxueux. Malgré sa petite taille, il peut vivre à la campagne où il joue et court avec entrain. Cet animal affectueux, au tempérament égal, obéit au dressage et se transporte facilement. C'est un parfait compagnon de voyage car il n'est source d'aucun désagrément.

Points négatifs. Il est difficile d'habituer ce chien à se soulager à l'extérieur.

Problèmes particuliers de dressage. N'employez jamais de collier coulissant pour ces animaux délicats.

Les habituer à se soulager à l'extérieur pose un problème. Vous devez choisir cette méthode ou bien celle du papier journal, et ensuite vous en tenir à ce que vous avez décidé. Si vous les dressez à se soulager sur des journaux, vous constaterez que, de temps en temps, pendant ce dressage, ils oublieront d'aller sur le papier. Quand cela arrive, vous devez revenir sur le dressage et leur faire revoir ce qu'ils ont déjà appris.

Félicitez-les avec effusion dès qu'ils obéissent.

Le Terrier de Boston

Points positifs. Le Terrier de Boston est l'un des rares chiens de race créé aux Etats-Unis. En bon Yankee, il a été créé à partir d'une origine anglaise ; il provient du croisement entre le Boule-dogue et le Terrier anglais. Il n'existe que depuis la guerre de

Sécession mais a réussi à acquérir une notoriété mondiale parmi les chiens de race. Bien que très puissants, les Terriers de Boston sont de petite taille et leur poids varie de sept kilos et demi à douze kilos et demi.

Ces chiens à l'aspect peu commun ont été pendant de nombreuses années associés à la publicité d'une marque de chaussures. « *Je m'appelle Buster Brown, et comme mon chien Tige, j'ai élu domicile dans un soulier* ». A cause de cette réclame, beaucoup d'enfants ont grandi avec l'idée que le Terrier de Boston est le chien idéal pour les enfants, ce qu'il est en effet. C'est un animal aimable, merveilleux pour les enfants. Il est doux mais robuste. C'est aussi un excellent compagnon pour les personnes âgées. Ceux qui cherchent un petit chien vif qui n'ait pas besoin de prendre beaucoup d'exercice, peuvent porter leur choix sur cette race.

Points négatifs. Comme la plupart des terriers, ces chiens sont agressifs et entêtés. Ils sont aussi très sensibles.

Problèmes particuliers de dressage. Il est difficile de les habituer à se soulager à l'extérieur. On doit les surveiller attentivement et leur faire faire de fréquentes promenades. Ne relâchez jamais vos exigences pour ce qui est de l'obéissance. Prenez votre temps pour leur apprendre chacun des ordres et prodiguez-leur des félicitations toutes les fois qu'ils font ce qu'il faut. Félicitez ces chiens deux secondes après qu'ils ont obéi et faites-le avec effusion.

INDEX ONOMASTIQUE

TABLE DES MATIERES

Des Presses de **marabout** s.a.
65, rue de Limbourg, B-4800 Verviers (Belgique)
D. 1975/0099/39